JN215569

# ラストで君は「キュン！」とする

## ひみつの放課後

after school of the secret

PHP

いつもいる場所なのに、見える景色もいつもと同じなのに、何かがいつもとちがうな、
と思うことがある。
それは、だれにでも訪れることのある不思議な時間だ。
世界が変わるのは、そういう時だ。

たとえば、好きな人とふたりきりの放課後の教室とか。
もしくは、今まで話したことのない人と話す瞬間とか。
見飽きたはずの通学路の景色が好きな人を想うだけで極彩色に染まって見えるとか、
だれかを思い出すだけで、言葉にできない、とても特別なにおいがするとか。
使い慣れている教室の机がキラキラかがやいて見えることもあるかもしれない。
何度も放課後に遊びに行った場所なのに、遠足に行く前日みたいに楽しみだったり、
初めて来た遊園地みたいに心が躍ることもきっとある。
何もない、〝昨日〟と変わらない〝今日〟に、光が降り注ぐことも。

かと思えば、世界が涙に包まれたような悲しみに襲われた、なんて苦しいこともあるかもしれない。

その時間の長さは、一瞬に思えることもあれば、何時間にも何日にも何年にも、感じる時がある。

それはいつまでも胸に残る宝物になる——かもしれない。

だれにも秘密の、きらめく時間。もしかすると、秘密だからこそ、特別なのかもね。

その時あふれる笑顔も、こぼれる涙も、胸のあたたかさも、苦しさも。

この本の中の十九の恋の物語の中に、経験したことのある人も、そうでない人も、その欠片が見つかるんじゃないかな。

さあ、目をつむって。耳を澄ませて。息を深く吸いこんで。

そして、再び目を開けて。

放課後の特別な何かを、見逃さないよう、全身で味わって。

contents もくじ

プロローグ …… 2
♥episode - 01
お手本、ください …… 8
♥episode - 02
忘(わす)れ物(もの)はこちらまで …… 19
♥episode - 03
初めて恋(こい)をした記憶(きおく) …… 29
♥episode - 04
初恋(はつこい) …… 44

♥episode - 05
高校デビュー……50

♥episode - 06
トキメキはほどほどに。……58

♥episode - 07
文化祭が終わったら……67

♥episode - 08
負けたくない……75

♥episode - 09
正反対のふたり……87

♥ episode - 10
本日、校舎、雨のち晴れのち涙 …… 94

♥ episode - 11
再会 …… 106

♥ episode - 12
色あせない記憶 …… 118

♥ episode - 13
階段一段分の乙女心 …… 128

♥ episode - 14
勝負は終わらない …… 139

♥episode - 15
綾瀬くんの好きな人 …… 144

♥episode - 16
君の好きなもの …… 152

♥episode - 17
残念なほうの佐藤さん …… 161

♥episode - 18
きみのカエデ …… 170

♥episode - 19
おそろい …… 180

●執筆担当

麻沢奏（p.8～18、50～57、87～93、128～138、161～169）
小鳥居ほたる（p. 29～43、75～86、118～127、152～160）
櫻いいよ（p.2～3、19～28、58～66、94～105、139～143、170～179）
たかはしみか（p.44～49、67～74、106～117、144～151、180～191）

♥ episode - 01

# お手本、ください

書道部に入ったのは、中学の時に見にいった書道展で、藤川浩大という人の書いた書に一目ぼれしたからだ。高校に上がり、書道部三年に彼がいると聞きつけた私は、ミーハー気分ですぐに入部した。……けれど。

「七十点。ここのとめ、力が入りすぎてる。あと、平仮名のバランスが悪い。てか、これ前回も言わなかったっけ？　ちゃんと意識して直そうとしてる？」

藤川先輩は、かなり厳しかった。時間や身だしなみなど自分のことにはルーズなのに、書道に関してだけは容赦がない。改善点を細かく指摘され、めげてしまいそうになる。

私だって、小学校の時から書道を続けてきたのに……。

「藤川先輩みたいな才能なんてないんだから、しかたないじゃないですか」

口を尖らせてぼそりと言うと、先輩は鼻を鳴らした。

「俺が努力してないみたいな言い方だな」

「そんなこと言ってないです。上手だから妬んでいるだけですー」

後ろの席にいる二年の女の先輩たちが「またやってる」と言って笑う。書道部は幽霊部員を合わせて六人。私は毎日来ているけれど、いつも三、四人しか集まらない。藤川先輩だって、一週間に一回顔を出せばいいくらいだ。だからこそアドバイスをもらいたくてお願いするのだけれど、毎回こんな言われようでケンカ腰になってしまう。

「そもそも、花宮は、心が入ってない。ただ字を写しているだけ」

「〝少年老い易く学成り難し〟に、どう心を入れろと言うんですか?」

むきになってしまうのは、私の悪い癖だ。本当は先輩のことを尊敬しているし、素直に聞きたいのだけれど、かまってもらえてテンションが上がり、空まわりしてしまう。

「あー……それじゃあ……」

そう言って腕を組んだ先輩は、しばらく考えてから筆を取った。縦長の紙を文鎮で押さえ、さらさらと字を書いていく。筆先から魔法のようにきれいな書が生み出される。

『あなたのことが好きです』

あっという間なのに、ほれぼれするほどの達筆で書かれた一文。先輩は筆を静かに置き、私を見た。

「たとえば好きな人に愛の告白をすると仮定して、これを書いてみて。相手のことを想像して一字一字書いたら、嫌でもていねいで想いのこもった字になるから」

それから、私はそのお手本を見ながら、毎日毎日書く練習をした。悔しいことに藤川先輩のお手本は、そのまま持ち帰って飾っておきたいほど美しい。その字に少しでも近づきたくて、放課後は部室で時間いっぱい同じ文を書き続けた。

好きな人……相手のことを想像して……。言われたことを頭の中でくり返すと、藤川先輩の顔と声が浮かんだ。なぜなら、私の好きな人＝藤川先輩だからだ。

最初は本当にただのあこがれだけで部活に入ったから、物静かでスマートで大人びた人物だと想像していた私は、その態度の大きさや軽く見える外見にショックを受けた。けれど、話すうちに、書道に対して真剣に向き合っていて、字を書くことやその心を大事にしていることが伝わってきたのだ。それに、繊細な字を書ける人だからだろうか、些細なことにも気づいてくれるし声をかけてくれる。

『新入部員、やる気あるね。皆勤賞なんじゃない？』

『お、そのはらいの墨のかすれ、センスあるじゃん』

『髪ゴム忘れた？　墨がつくだろ。ほら、この道具入れのヒモでとりあえず結べ』

口調はふてぶてしいけれど、優しいのだ。そんなやりとりが数か月積み重なり、先輩がたまに部室に顔を出すだけで、内心舞い上がるほどにまでなった。アドバイスを求め、つっかかってまで気をひきたい。そんな子どもっぽい気持ちと、先輩みたいな字を書けるようになりたい気持ち。そのふたつが、今日も私の足を部室へと向かわせるんだ。

「あなたのことが……好きです」

何十枚目だろうか。三週間近く書き続け、ようやく納得のいく書が書けた私は、目の前に掲げた紙を眺めてつぶやいた。先輩のお手本にはおよばないけれど、私の中ではいちばんうまく書けた。

これを渡して、気持ちを本当に告白しようかな……。

そう思いだしたのは、一週間ほど前からだ。毎回先輩のことを想いながら書いたからだろうか。好きだと思う気持ちがどんどん膨らんでいった気がする。そして、いちばんいいものが書けたら、この気持ちを素直に伝えて手渡したいと思うようになったのだ。

「お、今日は三人？　頑張ってる？」

「藤川先輩！」

久しぶりに部室に顔を出した先輩に、私も他の部員も声をあげる。藤川先輩は次の書道展に向けて自宅で集中して書いているらしく、あれ以来部室に来ていなかったからだ。

他の部員と話をしたあとでこちらに来た先輩は、あわてて隠した私の書をのぞきこみながら笑った。

「どう？　上達した？　ちょっと見せてよ」

告白をしようと決意していた私は、部室内を見まわして小さく首を横に振る。そして、生唾を飲んで先輩を見た。

「あの、先輩、部活後に話が……」

「あー、いたいた、浩大。今日うちに寄る約束だったでしょ？　ほら、一緒に行こ」

私が言い終わらないうちに、部室の入口から先輩を呼ぶ声が聞こえた。中途半端に口を開いたままの私は、先輩の肩越しにその女子生徒を見る。サラサラボブでスタイルのいい、とても美人な女の先輩だ。

「あー、そうだったな。今行く」

藤川先輩は、思い出した様子で女の先輩のもとへ踵を返し、一度振り向いて「じゃ、また」と言った。あっという間のことで、あいさつすら返せなかった。

「さっきの人、藤川先輩と一緒にいるとこをよく見るけど、つき合ってるのかな」

「家に行き来するくらいなんだから、ぜったいそうじゃない？」

聞きたくなくても耳に入ってくる、二年の先輩たちの噂話。親しげな雰囲気だったし、そうだったとしてもおかしくない。そうじゃなかったとしても……あんなきれいな女の人がまわりにいるんだ、私なんかが告白したところで断られるのはあきらかだ。

私は、折り畳んでいた自分の書をそっと机の上に開いた。これは、もういいや……。

その時だった。二年の先輩が横を通り、机に当たって「わっ！」と声をあげた。その弾みで、墨汁が倒れてしまう。とっさに戻したけれど、墨汁はななめに流れ、私の書にも藤川先輩のお手本にもかかってしまった。

「うわ、本当にごめん！　大丈夫？」

「だ、大丈夫です。服にはかからなかったし」

そう言って立ち上がり、机の上にはみ出た墨汁を雑巾で拭く。そして、よごれた二枚の『あなたのことが好きです』を小さく小さく折り畳んだ。

もう、いらないから……いいんだ。そう心の中でつぶやいて、唇をキュッと結んだ。

「あれ？　なんで帰ろうとしてんだよ、花宮」

　部活が終わって最後に部室を出ようとした時だった。なぜか、藤川先輩が戻ってきた。帰り支度を済ませてドアに手をかけた私は、ぬっと顔を出した先輩に心底おどろき、悲鳴が出るところだった。

「なんで……ここに？」

「花宮が部活後に話があるって言ったんだろ？　だから、口パクで〝またあとで〟って言ったじゃん。おまえ真面目だし、マンツーマンで書を見てもらいたかったんじゃないの？　ほら、見せろよ」

　先輩が部室を出る時に頭がボーッとしていたから、口パクに気づかなかったようだ。

　でも、告白する気持ちをそがれ、追い打ちをかけるように完成した書も台無しになってしまったから、せっかく来てもらったのに意味がない。

「すみません、もう……よかったです。実は、この前書いてもらった先輩のお手本も、自分で書いたものも、よごしてしまって……」

ちらりとゴミ箱を見ると、目頭が熱くなった。必死にこらえて「ハハ」と乾いた笑い声を出すも、上手な笑顔をつくれない。

「なんだ。じゃあ、もう一回書くから道具貸して。待ってて」

藤川先輩は、そう言うとすぐ近くの席に着き、渡した書道道具を広げた。そして、細く長い息を吐いたかと思うと、スイッチを入れたかのような真剣な表情になり、筆を走らせた。空気が、一瞬で研ぎ澄まされる。

『あなたのことが好きです』

書ききり、筆を置いた先輩。なぜだろうか、前回よりも力強く感じるのに、どこかやわらかさも感じるような、あたたかみのある書だ。私は感動と先輩への気持ちがあふれ、こらえていた涙がひと粒落ちてしまった。

「なんで泣くの？」

「こんな書を書けるくらい先輩に想ってもらえる人は、幸せだろうなって思って……」

「だれのことだと思ってるわけ？」

「……一緒に帰ってた、あのきれいな女の先輩じゃないんですか？」

そう言うと、先輩は片手で額を押さえてひじをつき、大きなため息をついた。

「これ、書き足したいんだけど、いい？」

返事をする間もなく、先輩は細い筆を手に取り、さらさらと何かを書いていく。そして、書き終えたばかりの書を、文鎮を外し、私のほうへずいと突き出した。「はい」と言われ、墨のにおいがふわりと鼻に届く。

「……え？」

その紙には『あなたのことが好きです』の前に『花宮へ』、そしていちばん最後に『藤川より』と書き足されていた。私は、状況をのみこめずにぽかんと立ちすくむ。

「一緒に帰ったのは、いとこ。家に寄って、叔母さんから手づくりのお菓子を受け取って帰るように母親に頼まれてただけ」

先輩は、紙をもう一度押しつけるように揺らした。頭の中に、目の前の書と先輩の言葉が少しずつしみこんでいく。いとこ？　そうだったの？　でも、そうだとしても……。

「だって、私、いいところないし……」

「コツコツ頑張るところ。書道に真面目に向き合ってるところ。何より、俺を尊敬してくれてるところ」

「尊敬してるのは、先輩の書ですけど」

「ひとこと余計だろ。で、いるの？　いらないの？」

ようやく理解が追いついた私は「いるっ！」と勢いよく答え、先輩の手から紙を受け取る。改めて書かれてる内容を見ると、じわじわと胸が熱くなってきた。現実だろうか。信じられない。

「返事は？」

頬杖をつきながら聞いてきた先輩を見て、私はあわてて新しい紙を用意し、筆を取った。そして、『私も』と書いて先輩に差し出す。勢いのあまり、今までいちばん大きくて太くなってしまったその字を見て、先輩は大きな口を開けて笑った。

「満点！」

♥ episode - 02

# 忘れ物はこちらまで

好きです、と書いた小さなメモ用紙を、私は今日カバンの中に忍ばせている。

「林さん、今日、社会の資料集持ってない？　オレ、忘れちゃってさあ」

六時間目がはじまる直前、隣のクラスの森沢くんが廊下に面した窓から顔を出して、窓際の席に座っている私に聞いてきた。

「うん、持ってるよ」

そう言って机から資料集を取り出す。準備していたメモを中にこそっと挟んで、緊張で手が震えてしまいそうなのを我慢しながら手渡した。

「サンキュー！　さすが林さん！」

森沢くんにこうして教科書や資料集を貸すようになったのは、二か月ほど前からだ。

その前から、私は森沢くんのことを知っていた。

森沢くんはよく忘れ物をするようで、一日一回は教科書を忘れたと言っていろんな教室に顔を出していたからだ。窓際から離れた席だった私は、必死になって借りる相手を探す森沢くんをいつも遠目に見ていた。

けれど、二か月前に席替えで窓際の席になった。勇気を出して「私のでよければ」と声をかけたことから、彼は忘れ物をするたびに私に声をかけてくる。

「森沢、また忘れ物かよー」

「うるせ。朝時間がなくていつも用意するの忘れるんだよ。ってか久保もだろ」

「うはは、バレた？　林さんごめん、俺にも貸してくれない？　数学の教科書、宿題してたら机の上に置きっぱなしにしちゃったみたいで忘れたんだあ」

森沢くんと話していた久保くんが、くるりと私のほうを向いて手を合わせた。

森沢くんに教科書を貸すことが増えたからか、最近は森沢くん以外にも声をかけられるようになった。特に久保くんは、森沢くんの次によく忘れ物をする。

いいよ、と返事をして久保くんに数学の教科書を渡すと、

「林さんってほんとなんでも持ってるな。さすが優等生……！　女神！」

そう言って久保くんは大げさなほど感激して頭を下げる。彼は毎回やりすぎなほど私をほめてくれるので、顔が赤くなってしまう。

真面目、とは自分で思わないけれど、そう見られているのは知っている。制服もあまり着崩していないし、友だちはいるけれど、本を読んだり音楽を聞くのが好きなのでひとりでいることも多い。自分で言うのもなんだけれど、私は地味なタイプだ。

それがこうして、忘れ物を貸すだけとはいえ、いろんな人に話しかけられるようになったのは、森沢くんのおかげだ。

森沢くんには友だちが多い。男女問わず、いつもだれかと楽しそうに笑って話をしているのを、私は一年以上前から一方的に見つめていた。華やかな彼は、私とは住む世界がちがう、と思っていた。そう考えるようになった時にはすでに彼に惹かれていた。

でも、まさか森沢くんとこうして話す日が来るとは。話すといっても教科書を貸す時

と返してもらう時だけだけど。

「林さんはみんなに優しいよなあ」

窓にひじをかけて森沢くんが私に言った。

「え？　そんなことはないと思うけど」

「優しくなかったらよく知らないやつに教科書なんか貸さないよ」

にこりと微笑まれて、頬が紅潮する。あわてて目をそらすとタイミングよくチャイムが鳴り、森沢くんは手を振って自分の教室に向かった。

先生が来るまでの間、そっと机の上にある国語の教科書をめくった。中には小さなメモが挟まっている。

〝オレ、この話好き〟〝私も、主人公が特に好き〟〝わかる！　かっこいいよな〟

そんな他愛ない、私と森沢くんのやりとりが書かれている。

森沢くんに貸した教科書に、お母さんから頼まれた買い物リストのメモを挟んだまま渡してしまったことがあった。すると「牛乳」の文字の横に〝牛乳はぜったいこのメーカーがおすすめ！〟と書きこまれていたのだ。そして、次に別の教科書を貸した時に〝おすすめの牛乳、ありがとう。おいしかった！〟と返事を書いたメモを挟んだ。

それから、短いメッセージのやりとりがはじまった。今日のお弁当がおいしかったとか、観たドラマの話とか。メモがいっぱいになると、別のメモに文字を残し、今も細々とささやかに、こっそりと、私と森沢くんの秘密の会話が続いている。

そんな関係で満足していたけれど――。

前回席替えをしてから二か月。もうそろそろ席替えがある。次の席が廊下側の窓際でなかったら、私はもう森沢くんと話す機会がなくなるかもしれない。そうなったら、私たちのかすかにつながっていた関係は終わってしまうだろう。

宝物として部屋に大切に保管していたこれまでのメモを見直して、このまま終わりたくない、と思った。そして、私は今日、勇気を振り絞った。

〝好きです〟

ひとことだけ書いたメモを、今日森沢くんに貸した資料集にこっそりと挟んだのだ。

期待をしているわけじゃない。そんなもの微塵もない。ただ、このまま何もせずに森沢くんと話すことがなくなるのは嫌だと思ったのだ。どうせ話せなくなるなら、当たって砕けたほうがいい、と。

授業の終わりを告げるチャイムが鳴ると、一時間緊張しっぱなしだった私の心臓がぎゅんっと音を出して絞り上げられた。もうすぐ森沢くんが資料集を返しにやってくるんだ、と思うと、心拍数がどんどん上がってきて、呼吸するのも苦しくなってきた。

「林さん、これありがとー。林さんのおかげで次のテストもばっちり！」

森沢くんよりも先に教科書を返しにきてくれたのは久保くんだった。

「そんなこと言ってるけど、久保くんがもともと数学得意なの知ってるよ」

えー、そんなことないよーと久保くんはあきらかにうれしそうに笑う。素直な反応に、つい吹き出してしまう。さっきまでの緊張が彼のおかげで少しやわらいだ。

久保くんが去っていくと、入れ替わりで森沢くんがやってくる。

「林さん。いつもありがとう」

緊張をのみこみながら差し出された資料集を受け取る。私の告白にどう思ったのかとおそるおそる森沢くんの顔に視線を向けると、彼の表情はいつもよりも暗かった。

……もしかして、迷惑だった……？

「あ、あのさ」

気まずそうに森沢くんがつぶやき、私に顔を近づけてくる。断られるんだ、と体をこわばらせると、彼は「ごめん」と耳打ちした。そして、

「中のメモ、久保宛てだよな？　見えちゃって、ごめん」

と頭を下げる。

……え？　なんで久保くん？　どういうこと？　もしかして、あのメモは自分宛てじゃないと思ったってこと？　なんで？

ぐるぐると考えて、名前を書いていなかったからかと、はっとする。

私のばか！　え、この場合どうしたらいいの！　森沢くんに、私が久保くんを好きだ

と勘違いされてるってことだよね。それは困る！　なんで久保くん？　もしかして久保くんにもよく教科書を貸しているから？　そんなことになるなんて！

「ち、ちがうの。これはその、ちがう人で……」

あわてて訂正しようとしたけれど、ここで私の告白した相手は森沢くんです、と口にすることはできない。面と向かって告白する勇気がないからメモで伝えたのに！

「え？　ちがう人？」

「……あ、いや……その」

言い淀むと、どんどんと顔が赤く熱くなってくる。ああもうどうしたらいいの！

私の様子に、森沢くんはしばらくしてから何かに気づいたのか大きな声を出した。

「あ！　そうだったんだ……え、っと。ご、ごめん」

今度の〝ごめん〟はあきらかに、私の告白の返事だ。

はっきりと断られた。その瞬間、涙がこみ上げてくる。

それを彼に見られずに済んだのは、担任の先生が教室にやってきたからだ。そして私は、先生の連絡が終わるや否や、逃げ出すように学校を出た。

もう、最悪だ。なんて、カッコ悪い告白だ。


今日からは森沢くんと話すことはなくなるんだな。

次の日の朝、悲しい気持ちで学校に行き、とぼとぼと教室に向かうと、ドアの前の壁に、森沢くんが立っていた。

朝に弱い彼が、なんで私よりも先に学校に来ているんだろう。しかもなんで、私のクラスの前にいるの？

「林さん、忘れ物してたんじゃない？」

おどろいたまま突っ立っていると、森沢くんが近づいてきた。

「オレの返事、聞くの忘れて帰っただろ？　だから、届けにきた」

にかっと白い歯を見せて、森沢くんが笑った。

彼の返事を聞いて、私は——。

♥ episode - 03

# 初めて恋をした記憶

高校生になって初めての全校集会の日、生徒会の活動を紹介するオリエンテーションがあった。

まだ顔も名前も知らない先輩たちがステージ上で説明をしている。新入生の私は体育館の後ろのほうでパイプ椅子に座り、ぎゅっと手をきつく握りしめて緊張していた。

だけどその先輩がステージの上に立った瞬間、新しい環境に緊張していた心がまたたく間に別の感情へと変化したのがわかって。その気持ちの意味がわからないまま、先輩は通りのいい声で第一声を発した。

「生徒会長の東です。——皆さん、この学校を明るくすてきな場所にしていきましょう」

気づいた時には、すでにその先輩の説明は終わっていた。ステージを降りるその瞬間まで彼の姿を目で追っていて、演説が終わったあとも私の心は落ち着かなくて。浮ついていた気持ちが冷静になったのは、隣に座っていた幼なじみの玲菜に真新しい制服の袖をつままれた時だった。

「ほら、もう教室戻るよ」

いつの間にか全校集会は終わっていて。私は周囲のクラスメイトにならって立ち上がり、ふわふわとした足取りで教室へと戻った。

ホームルームの時間になっても、先生の話がなかなか頭に入ってこない。しばらくたって、これが恋なんだということを自覚した。初恋だった。

その日の放課後、私はバドミントン部の練習へ向かう準備をしていた玲菜に「生徒会っていつから入れるのかな?」と尋ねていた。玲菜は小さく首をかたむけると「選挙は五月にやるみたいだから、もうすぐじゃない?」と教えてくれた。だけどそれから、カバンとラケットケースを背負うと、からかうように目を細めてきて。

「でも、羽衣のお目当ての先輩がその時も生徒会長をやってるのかはわからないなー」

「え⁉」

「今日の集会の時、めっちゃ見てたじゃん。終わったあともうわの空だったし」

今さらバレていたことを知って、顔が焼けたように熱くなる。あわてた様子がおもしろかったのか、玲菜は楽しげに笑った。

「まさか、だれかに話したりしてないよね……？」

「そんなことしないって。だれにも話さず秘密にしてるよ」

「よかったー……」

思わずほっと胸をなでおろす。

「そんなことより、羽衣さえよければ東先輩に聞いといてあげよっか？」

「何を？」

「次の選挙でも生徒会長に立候補するんですか？　って。実はあの人、男子バドミントン部の先輩なんだよ。一年の時から生徒会長ってすごいよね」

玲菜はカバンとラケットケースを背負い直すと「まあ、まだ話したことはないんだけど」と情報を補足してくれた。私は迷うことなく彼女の小さな手のひらをがしっとつかんで「お願い！」と即断する。そんな必死な姿におどろいたのか、玲菜は「はいはい」と苦笑いを浮かべた。

その日の夜。玲菜はスマホにメッセージを送ってきて、次の選挙も東先輩が生徒会長に立候補するということを教えてくれた。その情報だけでも私にとっては十分すぎる収穫だったけど、幼なじみのお節介なのか『ついでに、彼女はいないらしいよ！』という言葉が文末に書かれていた。

私も生徒会に入れば、東先輩と話すことができるかも。だけどそんな不純な動機で生徒代表の立場に立候補してもいいのだろうかという迷いがあって。それに私は玲菜みたいなコミュ力がないから、たとえ入れたとしても結局は見ているだけになるかもしれない。なんて後ろ向きなことを、それからもずっと考えていた。

結局、気持ちがまとまらないまま時間が流れて。たまに廊下で東先輩とすれちがうことはあってても、ただ横目で見ていることしかできなくて。何かが変わることのないまま、いつの間にか生徒会選挙の時期になっていた。

四月に言った私の言葉を覚えていたのか、玲菜は「生徒会、立候補するの？」と尋ねてきた。

何も答えることができずにうつむいていると、今度は「しかたないなぁ」と言いながら、制服のポケットから折り畳まれた紙を一枚取り出す。見ると、それは生徒会役員に立候補する時に提出する応募用紙だった。その紙の名前の欄に、玲菜は当然のように私の名前を記入した。

「なんで勝手に書くの⁉」

「だってこうでもしなきゃ、羽衣はずっと見てるだけなんだもん。親友がストーカーになるのもイヤだし、とりあえず見切り発車で頑張ってみなよ」

「でも……」

「そんな難しいこと考えなくてもいいって。ということで、はいこれ。今のところ会計に立候補してる人いないらしいし、書いといたよ。今から先生に出しにいこ」

返事をするすきも与えないまま、玲菜は私の手をつかんで職員室へと引っ張っていった。逃げ出す口実を考えていたけれど、言い訳がまとまらないまま職員室に到着して。半ば無理やり、先生に立候補の紙を提出してしまった。

だけど不思議だったのは、引き返せなくなった今になって、ようやく心が落ち着いてきたということで。職員室を出たあと、手を引いてくれた玲菜に「ありがと……」とお礼を言った。

「いいよいいよ。もしダメでも、その時は私が一緒に泣いてあげるから。とりあえず、選挙で話す文章これから考えよっか！」

「ううん、大丈夫。それだけは自分で頑張ってみる」

そう言うと、親友はやっぱり笑顔で「頑張ってね！」と私の背中を押してくれた。

自分のことだというのに、どうしてこんなにもうまくいくんだろうと疑問に思った。

というのも、私は緊張した面持ちでステージ上で演説をして、何事もなく生徒会役員に選ばれたのだ。まあ、会計に立候補したのは最後まで私だけだったからだけど。

放課後に初めて生徒会室で顔合わせをした時、私は緊張でずっと足元を見つめていた。それでも好印象をもたれたい一心で必死に笑顔を張りつけて前を向くと、そこには東先輩の魅力的な笑顔があった。その笑顔を間近で見た時、急に私の心の奥がきゅっとなって。話したこともなかったのに、たった一か月でこんなにも先輩のことを好きになっていたんだということを思い知った。

「よろしくね。中野羽衣さん」

「よ、よろしくお願いします！」

それから顔合わせが終わって荷物をまとめていると、なぜか顔を上げた時に東先輩と目が合って。それなのに、あわててそらしてしまって。もしかすると今のは失礼だったかもと後悔した。だけど。

「鈴代さんから、中野さんのことをよろしくって言われた」

「えっ、玲菜が……？」

「幼なじみなんだって？　仲がいいんだね」

「あ、はい。小学生のころから一緒で……」

「そっか。いいね、そういうの。俺、幼なじみは別の高校行ったから、うらやましい」

「そうなんですか……」

こういう時、玲菜ならもっと気の利いた会話をつなげて、もしかすると少しは仲良くなることができたのかもしれない。だけど基本的に人づき合いが苦手な私には、相槌を打つことしかできなくて。

「俺もこの学校好きだから、一年間よろしくな」

「あ、はい……」

せっかく話しかけてくれたのに……。東先輩はカバンとラケットケースを背負うと、そのまま部活へ行ってしまった。その後ろ姿が見えなくなると、急に肩の力が抜けていって。演説の時に私が口にした『大好きなこの学校を、精一杯盛り上げていきたいです』という空っぽだった言葉が重くのしかかってきた。

私が生徒会に入ったいちばんの動機は、東先輩がいたからで。好きと言えるほど、まだこの学校に思い入れのない私は、きっといろんな人に嘘をついているんだろうなって、後ろめたい気持ちを抱いてしまう。

「……頑張ろう」

声にして、後ろ向きな気持ちを隠すように、そっと自分の手を握る。せっかく、玲菜がつくってくれたチャンスなんだから。

ここで、自分を変えたい。いつしか私は、そんなことを考えるようになっていた。


だけど、思うだけで気持ちが前向きになることはなくて。それからも東先輩とは事務的な会話を交わすことしかできずにいた。

そんな生活にも慣れはじめたころ。放課後、十月の学園祭で出展される模擬店の参加店舗をひとりでパソコンに打ちこんでいると、生徒会室の扉がノックされた。ややおどろいて入口に目を向けると、そこには東先輩が立っていて。

「今日は集まる日じゃないのに、中野さんはえらいね」と、ほめてくれた。

「あ、いや、ちょうどヒマだったので……」

「こういうのって、だれかが率先してやってくれないとなかなか進まないから。この前のアンケートの集計も、ほとんど中野さんがやってくれてたんじゃない？　俺も部活の大会前だったから時間取れなくて、本当に助かったんだよ」

そういえば、そんなこともあった。でもあの時は、放課後に生徒会室で作業をしていたら東先輩が来るかもしれないと思っていたからで。今日だって、本音を言えばこんなふうに話す機会が生まれるかもっていう打算的な気持ちが、ほんの少しだけあった。

それから東先輩は「手伝うよ」と言い、隣のパイプ椅子に座って打ちこむ文字を読み上げてくれた。だけどすぐそばに先輩がいることに緊張して、さっきよりもタイプミスが増えている。

すべて打ち終わってから「そういえば、部活は行かなくてもいいんですか？」と尋ねてみると「今日はこっちを終わらせようと思ってたから、先生には遅れますって言ってあるんだ」と教えてくれた。ということは、これからすぐに部活に行くということで。

だけど仕事が終わったはずの先輩は、ラケットケースを持たずに、しばらくその場で伸びをしていた。

「もしかして、サボりですか？」

「中野さんのおかげで早く終わったから、たまにはちょっとだけ息抜きしようかなって」

なんとなく、意外だった。東先輩みたいな生徒会長をやっている真面目な人でも、たまにはサボったりするんだ。

「中野さんは、どこか部活とか入ってみないの？」

「いや、私は運動とか本当ダメで……。興味のある文化部もなかったので……」

「そっか。それじゃあ二年生になってからも生徒会をやってくれるの？」

「えっと、まだわかんないです……」

とっさにごまかしたのは、来年東先輩は三年生になるので、生徒会にいないから。よほどのことがない限り、三年生が生徒会に入ることはない。それを正直に話してしまえば、好意があることを悟られてしまうかもしれなくて。

いつものように口ごもっていると、今日も先輩のほうから話題をつないでくれた。

「実は中野さんには来年、俺の分も頑張ってほしいなって思ってて」

一瞬、言われた言葉の意味がうまく理解できなくて。思わず顔を上げると、目が合った瞬間に微笑みを向けられた。

「私、ですか……？」

「いつも頑張ってくれてるから。中野さんみたいな人がひとりいてくれるだけで、生徒会のみんなはすごく安心できるんだよ」

「でも私、こういう裏方みたいなことしかできないですから……」

「中野さんは、もっと自分に自信をもちなよ。全校生徒の前で、堂々と演説だってできたんだから」

「自信、もてたらいいんですけど」

今の私には、自信のなさがうかがえる精一杯の笑みを浮かべることしかできなかった。だけど今日先輩にほめられて、初めて自然と笑うことができたような気がする。

きっと今の根暗な自分よりも、笑顔がまぶしい明るい女の子のほうが、先輩も好きになってくれる。そう思うと、やっぱりちょっとだけ頑張ってみたいなって思う。

「そういえば先輩って、どうして生徒会に入ろうと思ったんですか？　やっぱり、明るい学校にしたいからですか？」

演説の時にはそう話していたけど、それだけが理由じゃないいんだろうとは想像してた。だからいつか聞いてみたいと思ってて。予想外の質問だったのか、先輩ははずかしそうに指先で鼻をかいた。

「そんなたいした理由じゃないよ。あの時話した内容は、そのほうが印象がいいと思ったからで。本当は、ダメな自分を変えたかったからなんだ」

「ダメな自分、ですか？」

「昔、泣いていた人に何もしてあげられなかったことがあって。今も後悔してるんだ。

そういうことがあったから、少しでもやりたいと思ったら行動するようにしてて」

先輩はたいした理由じゃないと言ったけど、私にはとてもすてきなことに思えて。そんなふうに真っすぐに行動できる先輩のことを、ますます好きになってしまうのを自覚した。

だけど意識すると、さらに話をするのが難しくなって。流れはじめた沈黙を破るように、生徒会室の扉がトントントンと三度ノックされた。あわてて廊下のほうを見ると、わずかに開かれた扉のすきまから玲菜が顔をのぞかせている。

「もしかしておじゃまでした？　部活が終わったから羽衣の様子を見にきたんですけど」

「あ、いや、実はもうとっくに終わってて」

「それじゃあもしかして、ふたりでサボりですか？　先生に言いつけようかなー」

玲菜のからかいに、先輩は困ったように苦笑いを浮かべる。なんとなく、その様子がだれかに似ている気がして。そそくさと荷物をまとめるその表情が、私と話していた時よりも赤くなっていることに気づく。

それに気づいた時、先輩のあわてた姿が、いつも先輩と話している時の私と重なった。

「それじゃあ、俺はもう行くよ」

ずっと恋をしていた私だから、痛いほどわかってしまった。生徒会室を出ていった先輩が、幼なじみに好意を抱いていることを。

ああ、そっか。きっと、はじまる前からこの恋は終わっていたんだ。

だけど家に帰ってからさんざん泣いて、玲菜を恨むような気持ちにはなれなかった。

だって大切な幼なじみだし、何よりふたりはお似合いだって思っちゃったから。

今は悲しくてつらいけど、いつかこの失恋だって、乗り越えられるような気がした。

さようなら、私の初恋。

♥ episode - 04

# 初恋

ペンケース、メモ帳、シュシュ……。

ふたりで選んだ、おそろいの物が少しずつ増えていく。

物自体はもちろん、一緒に選んだ時間とか、その時に見た真衣子の笑顔とか、なんてことない会話とか、とにかくぜんぶが奈美にとっての宝物だ。

真衣子への想いが恋だと自覚したのは、少し前のことだった。

真衣子にはとても仲のよい、譲という幼なじみがいる。譲といる時の真衣子はとても自然で表情豊かだ。家が隣で、生まれた時から家族ぐるみのつき合いをしてきたらしい。

ふたりはどう見ても両想いだった。自分が割って入るすきなどない。

いや、その前に、真衣子にとって自分は恋愛対象にはなり得ないのだ。

（この気持ちは一生伝えられない。真衣子を困らせたくないもん）

奈美の気も知らないで、真衣子は「奈美、大好き！」「一生彼氏なんていらない。奈美がいれば幸せ」などと、しょっちゅう言う。

そのたびに、うれしい反面、奈美は苦しんでいた。

（いっそのこと、さっさと譲くんとつき合ってくれたらいいのに……）

席替えで、たまたま譲の隣になった奈美は、真衣子がいないすきに尋ねた。

「譲くん、真衣子に告白しないの？」

「はぁ？　なんでオレが？」

「とぼけたってムダ。バレバレだよ。最近、真衣子ってばモテてるよ。よく知らない男子とつき合ってもいいの？」

「いや、それは……。でも、オレなんて無理だよ」

譲はそれっきり、口をつぐんでしまった。

（何よ、それ。あれだけ仲がいいのに、肝心なところで勇気を出せないってこと？　それぐらいがんばればいいのに。わたしみたいに可能性がゼロじゃないんだから……）

休み時間、窓辺にひとりたたずむ真衣子の姿を見かけた奈美は、走り寄ろうとして、あわててその足を止めた。かげりのある横顔は、いつもの真衣子とは別人だった。

真衣子は時々、ふだんは使っていないSNSのアカウントで、行き場のない思いを吐露することがあった。奈美がこのアカウントを見つけたのは偶然で、真衣子は奈美が見ていることは知らない。その夜、奈美はそのアカウントをチェックした。

『近すぎるから、言えないことってある。あー、恋なんかしたくないのに』

これを見て、奈美は確信した。やっぱり真衣子は、譲が幼なじみであるがゆえに告白できないでいるのだ。あの様子からすると、譲は自分からは告白しないだろう。でも、真衣子から告白されたら断るはずがない。

（なんとしてでもふたりの仲をとりもってあげよう。わたしが真衣子を幸せにしてあげられる方法は、それぐらいしかないもの）

必死で考えた結果、奈美はこんな計画を思いついた。

まず、学校の近くの小さな神社が、実は「恋が叶う神社」だと言って真衣子に紹介する。ただし、神前で好きな人の名前を声に出して言わなくてはならないと伝え、真衣子が譲への気持ちを口にしたところを、なんとかして譲に聞かせるというものだ。

奈美は知っていた。真衣子が時々ひとりで、縁結びの神社めぐりをしていることを。

それも例のアカウントから入手した情報だった。


「ふーん。この近くにそんな神社があるんだ。知らなかった」

真衣子は恋愛話が照れくさいようで、奈美にはあまりしてこない。奈美もそういう話題はなるべく避けてきたので、あくまでうわさ話として伝えた。

その日の放課後。奈美は先生に呼び出されたことにして、先に帰っていてほしいと真衣子に言った。そして、真衣子が教室を出たあと、こっそり例のアカウントを確認した。

『灯台下暗し。近くによき神社があるらしい。これから行ってみる』

（やっぱり、今日行くつもりみたい。よし！）

奈美はまだ教室にいた譲に声をかけた。

「真衣子、三年の怖い男子に呼び出されてたよ。すぐそこの小さい神社だって。告白されるんだと思うけど、大丈夫かな？　わたしは先生に呼ばれてて行けなくて……」

譲は血相を変えて、真衣子のあとを追いかけていった。

（これで万事オッケー。うまくいくといいけど）

自分で仕組んだ以上、事態がどう転がるか、奈美は見届けなくてはならない気がしていた。うまくいってほしい。でも、それは自分の失恋を意味する。かなりつらいけど、少しは気持ちの整理がつくかもしれない。こうして、奈美もまた神社へと向かった。

短い参道の脇の木陰から拝殿をのぞむと、お賽銭を入れている真衣子の姿があった。参道を挟んで向こうの木陰には、腰をかがめて様子を見守っている譲の姿が見える。すべて、奈美の計画通りだ。

神様に向かって二度おじぎし、二度手を叩いたあと、真衣子はいつものよく通る声で願いを口にした。

「わたしは奈美に恋をしています。奈美と両想いになれますように！」

（――え？　今、なんて？）奈美は困惑した。

なんでそんなうそをつくんだろう。思考が追いつかず、混乱していると、

「聞こえた？」

という声がした。ハッとして顔を上げると、真衣子が奈美のほうへと歩み寄っていた。

「一生、言うつもりなかったんだけど、奈美が誤解してるみたいだから」

「誤解？　何が？　よくわからないけど、神様の前でうそをつくなんてよくないよ」

「わたしもそう思うよ。だから、本当のことを言ったんだ」

「えっ？　あれが本当のこと？」

真衣子の目は真剣だった。奈美はしばらくたってようやく状況をのみこんだのだった。

「信じられない！　信じられないけど、うれしい……わたしも同じ気持ちだったの」

「うそでしょ？　え、そんなことってあるの？　この神社の御利益、すごすぎでしょ！」

泣き笑いしつつ、手を取り合うふたりの姿を見て、譲はそっとその場をあとにした。

♥ episode - 05

# 高校デビュー

中学時代の私は、クラスメイトからフルネームを覚えてもらえないほど地味な女子だった。友だちはいたけれど、その子も真面目でおとなしく、オシャレについてとか彼氏が欲しいという話題にはならないし、好きな小説やマンガの話ばかり。

でも、本当は、明るくて話し上手な人や楽しそうな男女グループを見るたびに、あんなふうになれたらな、とあこがれていた。ただ、急にキャラを変更するとイタイ人間だと思われるということもわかっていたため、同中生徒の少ない高校へ進学するのをいいことに、ある決意をしたんだ。

高校生になったら自分を変えるんだ、と。

「結実、今朝大志に会ったんだけど、ＬＩＭＥの返事遅いって悲しんでたよ」

「えっ、あー……寝てたから朝返したんだよね」

「大志落ちこんでたよー。もっとかまってやりなよー」

大志くんは、別の高校の男の子だ。一週間前、ファミレスでこのリサという友だち伝いで仲良くなり、ＬＩＭＥ交換をした。それから、毎日連絡が来る。

「それはそうと、結実、聞いてよ。コウにまーたドタキャンくらってさ。彼女よりバイト優先するって何？　ぜったいバイト先で他の女つくったんだと思うんだよね」

リサが大きな声で彼氏の愚痴を言うと、近くにいた男女が「なになにー」とか「サイテー」とか言いながら寄ってきて、すぐに私たちのまわりを囲む。

セットされた髪、着崩した制服、化粧、いろんな香り、カレカノ話、相槌、ツッコミ、笑い声。高校に入学してから三か月の今では、中学の自分があこがれていたものがぜんぶそろっている。オシャレも頑張ってるし、リアクションもまちがえないようにしているし、常に笑顔でいるのも板についてきた。高校デビューは、成功したんだ。

「思わせぶりな態度を取ってフるとか、ありえなくない？」

数日後の昼休み、トイレ帰りにリサからそう言われた私は「ごめん」と頭を下げた。

実は、この前の土曜日に大志くんに誘われて一緒に映画を観にいき、帰り際に告白されたのを断ったのだ。

断った理由は、いくつかあった。出会ってからまだ日が浅く、どんな人なのかちゃんとわかっていないから。映画を観にいくのは四、五人だと嘘をつかれ、実際はふたりきりだったから。何より、自分が男の人に慣れていなくて、ちょっとしたスキンシップにも赤面し、緊張でうまくしゃべれなくなってしまうからだ。

「紹介した私も気まずくなるじゃん」

「うん……本当にごめん」

だけど、そんな理由を言ったところで空気が悪くなると思い、またリサに謝った。男の子紹介してなんて言った覚えはないのに、なんで私は、大志くんのことでリサに謝っているんだろう。

その日の午後授業は、選択授業だった。美術はリサも他の仲がいい友だちもとっていなかったため少しホッとしたけれど、胸のつかえはなくならず、気が重いままだ。

美術室に移動した私は、先に席についていた隣の男子が読むマンガが目に入り、思わず口を押さえた。

あ！　『ポケ弁』の最新刊だ。

『ポケ弁』とは、『ポケットから弁慶』という、超マイナーマンガだ。私はこのマンガが大好きで、発売されている巻は買いそろえている。でも、高校入学でイメチェンに励んでいたからか、最新刊が出たことをすっかり忘れていた。

「それじゃ、今日は隣同士でペアになって、おたがいの人物画を描きましょう」

授業がはじまると、さっそく隣同士で向かい合わせになり、スケッチブックを開いた。

たしか、今村……くん？　だったよね。

名前もあやしいほどの彼は、以前の私の男バージョンかというくらい目立たない存在だ。黒ぶちメガネで、前髪長めで、少し背が高くて、真面目そう。その程度の印象に『ポケ弁』読者という項目が加わった。

「顔、こわばってる」

凝視していたからだろうか、今村くんにそう言われてしまった。固くなっていた表情筋をゆるませて、頭をかく。

「あ、ごめんごめん」

「入学してからずっとだけど」

すかさずつけ加えられた言葉に絶句した。私は鉛筆を持ったまま、一時停止してしまう。そして、なぜだろうか、思いがけずポロッとひと粒涙がこぼれてしまった。

「嘘だろ」と短く小さな声を出した今村くんは、先生に向かって手を上げる。

そして「永井さんが具合悪そうなので、保健室に連れていきます」と言って廊下へと連れ出してくれた。

保健室に行くフリをして、屋上へと続く階段をのぼり、踊り場を過ぎたあたりで腰を下ろす。すると、壁に背を預けて立っている今村くんが、メガネを押さえながら小さく息をついた。

「悪かったよ。嫌味を言いたかったわけじゃないんだ」

「ううん、傷ついたんじゃなくて……ちょっといろいろあったから、自分で自分がわからなくなってて」

そう認めてしまうと、また涙が滲んだ。そうだ、私はこの三か月、無理をしてきたんだ。それを今村くんに見透かされ、言い当てられたことで、気が抜けてしまったのかもしれない。

事情を話し終えると、静かに聞いてくれていた今村くんが、少しスペースを空けて隣に腰を下ろした。

「なるほど。陽キャグループにいてもおかしくない人、を頑張って演じてきたけど、無理が出てきたってことか」

「うん……本当はＬＩＭＥのやりとりが多いのも面倒だし、彼氏とか勢いでつくりたくないし、オシャレも大変だし、女子トークに共感してるフリも……なんか疲れてきてて」

言葉にしてしまえば、おどろくほど肩の力が軽くなった。そして、今村くんの、

「実際その中に入ってみて、わかったからよかったな。自分に合ってないって」

という言葉で目から鱗が落ちる。

そうだ、行動したから、わかったんだ。高校デビューを頑張ったのはムダじゃない。そこまでしてしがみつく価値のある場所じゃないかもと、学ぶことができたんだ、私は。

「本当の自分でつき合わなきゃ、自分もきついし相手にも失礼だしな。まぁ、とりあえず、陽キャでも陰キャでも、空気感や好みが合いそうだとか、自分を取り繕わなくて大丈夫そうだとか、自分が話してみたいなと思える相手に話しかければいいんじゃない？」

目をまたたかせて今村くんを見ると、彼はふわりと笑った。あれ？　その条件にぜんぶ当てはまっているのって……。

思わず姿勢を正して今村くんへ向き直った私は、咳払いをして口を開いた。

「ねぇ、今村くん。もしかして『ポケ弁』ファン？　コミック全巻持ってる？」

私の質問に目を丸くした今村くんは「……持ってるけど」とうなずく。うれしくなった私は、そこから『ポケ弁』について熱く語った。すると、しばらく聞いていた今村くんは、こらえきれないかのように吹き出す。

「ハハ、めっちゃいい顔で話すじゃん。スケッチの時、その顔してよ」

今村くんが初めて口を開けて笑った。メガネの奥の目が細く伸びて、まるで少年のようにキラキラした笑顔だ。あれ？　今村くんて、こんな感じなんだ。心臓の端をキュッとつままれたような気がして、妙にソワソワする。

「最新刊ヤバいよ？　聞く？」

「わあっ！　ネタバレやめて！」

ニッといじわるく微笑んだ今村くん。あわてて口の前に人差し指を立てた私の胸は、どんどん高鳴っていく。私、今、恋愛デビューしたかもしれない。

♥ episode - 06

# トキメキはほどほどに。

「わたしは、悠太のこと好きなんだけど」

放課後の教室で、幼なじみの常和が真剣なまなざしをオレに向けて言った。

「悠太と常和ってつき合ってんの？」

授業が終わって友だちと一緒に遊びにいく途中で、高校から仲良くなった男友だちがオレに聞いてきた。

「つき合ってねえよ。常和はオレの幼なじみってだけ」

友だちの言葉を否定してケラケラと笑う。

その言葉にウソはない。

　オレと常和は、紛うことなきただの幼なじみだ。同じマンションで、なおかつ母親同士の仲がよかったことから、物心ついた時にはいつもオレの隣には常和がいて、常和の隣にはオレがいた。そしてそれは、今も変わらない。

　なので、この手の質問は昔からしょっちゅうされている。むしろ高校では聞かれるのが遅いなと思ったくらいだ。常和とクラスが離れたからか、今日までの三か月、だれにも聞かれなかった。

「あたしもそれ思ったあ。よく話してるよね」

「だよな、だよな。さっきすれちがった時もなんかアイコンタクトしてたよな」

「悠太、この前隣のクラスの子に告白されたのに断ったのって、常和とつき合ってるからかと思った」

　そばにいた女友だちも会話に加わり、一気にみんなが盛り上がる。

「そんなわけないだろ」

　アイコンタクトは、ただすれちがった時に目が合っただけだ。告白を断ったのも、オレがその子のことを好きじゃなかっただけ。それだけだ。

「ま、そうだよな。悠太と常和って、タイプがちがいすぎるもんなあ」

友だちが納得したかのようにうなずいた。それにみんなが同意する。


その後、書店の前を通った時に常和が読んでいるマンガの新刊を見つけた。もう買ったかな、今日家に行ったら貸してくれるかな、とメッセージを送ろうとしてスマホを学校に忘れてきたことを思い出した。しかたがないので友だちとの約束を断り、来た道を戻った。

学校に着いて廊下を歩いていると、ちょうど図書室に寄って帰るところだった常和と教室の前でばったり会った。せっかくだから一緒に帰ろうと誘い、

「そういや、高校でもまたウワサになるかも。そんなわけないって否定したけどさ」

と、自分の机の前でしゃがんでスマホを探しながら常和に言う。

「なんでそんなわけないの？」

「へ？」

「わたしは、悠太のこと好きなんだけど」

夕焼け空の広がる窓にもたれかかっている常和は、平然とした顔をしていた。

机の中から取り出したスマホが、手からするりと落ちて床に転がる。しゃがんでいるオレはただただ、間抜けな顔をして常和を見上げることしかできなかった。

「悠太は、中学生になって変わったよね。高校生になったら、もっと変わった」

体を起こして常和がゆっくりとオレに近づいてくる。そのたびに、常和の肩まである髪の毛がゆらゆらと前後左右に揺れる。なんとなく視線を下にそらすと、クラスの女子よりも長い膝丈のスカートも髪と同じように揺れていた。

「いつだってみんなの輪の中心人物の、人気者じゃん」

「そんなことは……」

「背も高くなったし、髪型もおしゃれになって、女子にもモテてる」

正直、それは自覚している。髪型は、姉に教えてもらったおしゃれな美容院でセットしてもらっている。背も伸びたからか、中学三年生になったころから、女子に好意を寄せられることも増えた。

――『タイプがちがいすぎるもんなあ』

さっき、友だちに言われたセリフがよみがえる。

オレはいつも友だちと一緒にいる。ひとりでいても必ずだれかがやってくる。別にムードメーカーになりたいわけではないが、口を開くと、なぜかそういう雰囲気になる。オレ的には、どっしりかまえた頼りがいのあるかっこいい男子のつもりなのに。よく相談されるから、それなりにまわりに頼られているはずだけれど。……たぶん。

そんなオレと対照的に、常和はいつもひとりでいる。というか、だれかと行動をともにするのが苦手なようで、単独行動を好む。友だちがいないわけではないけれど、常和はひとりで本やマンガを読んだり映画を観るほうが楽しいらしい。

そんな常和を、よく知らない人は地味だとか暗いだとか言う。

でも、実際の常和はそんなことはない。まったく、ちがうのだ。

「昔は泣き虫で、わたしがいなくちゃ何も決められない優柔不断な子だったのに」

そばにやってきた常和が、腰を折ってオレの顔を見下ろした。

「気に入らないなあ。すっごい、やだ」

むすっとした顔で常和が言った。それは、どういう意味だ。もしかして、嫉妬か？

「だから、つき合ってあげてもいいよ、悠太」

「な、なんだよそれ。まるでオレがおまえとつき合いたいみたいな」

常和と目を合わせられなくて顔をそらし反論する。と、――バン、と目の前に伸びてきた手が、オレのそばにあった机を叩いた。おどろきのあまり顔を上げると、すぐそばに常和の顔がある。常和の大きな瞳の中には、とまどうオレの顔が映りこんでいた。

尻もちをついたような体勢になったオレは、常和の腕に挟まれている。

これはもしや、女子の間で噂の壁ドンなのでは。壁ではなく机だけれど。

「だって悠太、わたしのこと好きでしょう？」

にやりと片頬を引き上げて常和が言い、またずいとオレに顔を近づける。不敵な、絶対的な自信のある、力強い常和のネコのような瞳は、いつもオレを捕らえて離さない。

「どれだけ変わっても、中身は悠太じゃん。悠太は優柔不断なヘタレで、いつだってわたしが決めないと動けないから、こうしてわたしから言ってあげてるんだけど」

心臓が口から飛び出そうなほど激しく動いている。

「さっさと好きって言いなよ」

やばい、爆発しそう。じわりと涙が浮かぶ。

それに気づいた常和は、ふっと息を吐き出すように笑って、オレの顔に手を伸ばす。

「つき合ったら、わたしは悠太を思いきり甘やかしてあげる」

そう言って、オレの目尻にたまった涙をぬぐって笑った。

その瞬間、目の前がぱちんと弾けたような衝撃に襲われる。

ああもう、だめだ。無理！　かっこよすぎて無理！　常和がかっこよすぎる！

「……せっかく、常和に負けないようにかっこよくなろうと思ったのに。常和よりかっこよくなって、オレから、告白したかったのにい……」

えぐえぐと涙声で悔しさを吐き出す。ああもうかっこ悪い。情けない。やっぱりどんなに頑張っても、オレはヘタレな泣き虫だ。

「もう、悠太は本当にかわいいんだから」

優しい声色でそう言った常和は、オレの頬をなでる。

涙目で常和を見上げると、彼女はにんまりとしたり顔をした。なんか、子ども扱いされていないだろうか。いや、常和が笑ってくれるなら別にいいけど。いいけどさ。

常和はいつだって、だれよりもかっこいい。

背筋をピンと伸ばしていて、まわりに振りまわされない強さがある。口を開けば、オレにだけとびきり優しく甘い言葉を口にしてくれる。守って、手を伸ばしてくれる。

そんな常和に、オレはあこがれている。それ以上に、胸をときめかせている。

でもあんまりかっこよすぎると、オレの心臓がもたないのでほどほどにしてほしい。

そう言うと、常和はぶふっと吹き出して、満面の笑みをオレに向けた。

♥ episode - 07

# 文化祭が終わったら

もうすぐ中学生になって初めての文化祭がやってくる。

今日のホームルームで、担任の先生から文化祭についての説明があった。

渡辺花乃は、胸を高鳴らせていた。これまでも何度か遊びにきて、あこがれていた中学の文化祭。ついに自分が開催する側になるのだ。

(一年の担当はクラス展示なんだね。うちのクラスは何をやるのかな。クラスTシャツ、かわいいのだといいな)

花乃の席から左へ机二つ分隔てたところに、倉田蒼一の席がある。

蒼一もまた、文化祭の話を聞いてわくわくしていた。

(学校行事って、なんだかんだテンション上がるよな。今までしゃべったことのない人

とも話せるようになったら、きっと楽しいだろうな）

そうはいってもふたりとも積極的なタイプではない。準備はもちろん協力するし、本番を楽しむ気も満々だが、自分がクラスを引っ張って成功させようなんて、そんなつもりはさらさらなかった。

しかし、運命とは皮肉なものだ。

厳正なるくじ引きの結果、このふたりがクラスの文化祭実行委員に選ばれたのである。

（うそうそうそ！　ムリムリムリムリ！　私みたいな陰キャが文化祭の実行委員なんて）

（まさか、オレが？　まあ、いいか。だれかがやらなきゃいけないんだし）

みんなの前に出て、あいさつすることになったふたり。隣ですっかり固まっている花乃を見て、蒼一は腹をくくった。

（渡辺さん、こういうの苦手そうだなあ。よし、オレがしっかりしないと！）

「えー、このたび、みなさんの清き一票のおかげで無事に実行委員に選ばれました、倉田です。よろしくお願いします」

くじ引きだろ、というツッコミが入り、教室中が笑いに包まれた。空気が和やかになったところで花乃もあいさつし、ふたりに向かってあたたかい拍手が送られたのだった。

それからというもの、ふたりの放課後は文化祭の準備一色だった。

「倉田くん、パンフレットに載せるクラス紹介の件、どう？」

「山本くんに一ページ完結のマンガを描いてもらえないか交渉中。クラスTシャツのデザインについてはどうなってる？」

「美術部の佐々木さんにオッケーもらったよ。今週中に案をもらえる予定」

「さすが渡辺さん、仕事が早いな。あっ、このスタンプラリーの台紙、ここにもイラスト入れたくない？」

「いいね！　これも佐々木さんに頼めないかな」

クラス展示の内容は、『なぞ解きスタンプラリー』になった。教室をスタートし、校舎をまわってなぞ解きをしながらスタンプを集め、また教室へ戻ってきてもらう。

なぞ解きの内容も、自分たちで考えなくてはならない。なぞ解き好きを公言している数人の協力を得て、クラスのみんなにもらった案の中から選ぶことにした。

作業に没頭しているうちに、あたりは暗くなっていく。校舎を見まわっていた担任の先生が、ふたりに声をかけた。

「実行委員か。六時半過ぎてるから、今日はもう帰りなさい。ふたりはたしか、家が近かったよな。もう暗いから、なるべく一緒に帰るように。気をつけてな」

帰り支度を整えながら、蒼一が尋ねる。

「オレら、ずっとクラスがちがったから話す機会がなかったけど、渡辺さんも北山小だよね。家は何町？」

「うちは花園町だよ」

「じゃあ、ほんとに近いね。うち、南町だよ。市立体育館のあたりまで一緒かな」

昇降口を出たあたりで、花乃は急に緊張しはじめた。

（どうしよう……。倉田くんとふたりで帰ることになるなんて。業務連絡はあらかた済

んでるし、何を話したらいいかわからないよ）
（渡辺さん、なんかやたら距離があるな。オレと並んで歩くの、いやなのかな？）
あたりさわりのない会話をぽつぽつと交わしつつ、その日はどことなくぎこちない感じで、ふたりは別れたのだった。

日々は飛ぶように過ぎていき、いよいよ文化祭まであと三日。

実行委員はもちろん、クラスのみんなによる準備も佳境に入っていた。しかし、文化祭ルールにより、七時過ぎまで活動することは許されない。実行委員はクラスの全員が学校を出たのを確認し、先生に伝えてから帰らねばならなかった。

そのため、帰る時はやはり花乃と蒼一のふたりきりになる。でも、今となってはもう、ふたりはすっかり打ち解け、むしろ一緒に帰るのが当たり前のようになっていた。

「いやー、今日はあせったな。でも、教室の飾りつけもなんとかなりそうでよかった」

「看板とか、もうけっこうギリギリだよね。でも、みんながんばってくれてうれしい！」

「だよな。今日、松本がペンキ取ってきてくれた時、オレ、ちょっと泣けたもん」

「わかるーっ！」

話に花を咲かせるふたりの前方に、薄闇の中を並んで歩く男女の姿が見えた。

「あっ、あのふたりも実行委員だよね。たしか三組の……」

言いかけて、花乃は口をつぐんだ。ふたりは手をつないでいたのである。

(うわあ、あの人たち、つき合ってるのかな。倉田くんも気づいたよね？)

(あのふたり、後ろのオレらに気づいていないんだろうな。なんか気まずいな)

ふたりとも、急に黙りこんでしまった。追い越しておどかすのも悪い気がして、どちらからともなく歩みがのろくなる。

(何か言わないと間がもたないな。話題、話題……)

花乃が小声で沈黙を破った。

「そういえば二年の先輩が言ってたけど、実行委員の男女が文化祭終了後につき合うケース、けっこう多いみたいだよ」

言ってしまってから、花乃は自分の失態に気づいた。話題をそらすつもりが、ますます妙な方向へかじを切っているじゃないか。

（え、渡辺さん、なんでこのタイミングで、こんな話するんだろ。まさかオレとそうなりたいとか？　いや、そんなはずないよな。ここは冗談っぽく返すべきだよな）

「あ、そうなの？　じゃあ、オレらもあんなふうになったりしてな。あはは」

これを聞いて、今度は花乃が動揺した。

（うそ。なんでそんなこと言うの？　もしかして倉田くん、私のこと……。いや、ないない。ここは余裕たっぷりで返さないと）

「そ、そういうこともあるかもね。ほら、未来って何が起こるかわかんないし」

「そ、そうだよな。あ、あはは」

そして、文化祭当日。おそろいのクラスTシャツを着た花乃と蒼一は、それぞれの役割を果たすのに精一杯で、ろくに会話をするヒマさえなかった。

午後四時、文化祭は無事に終了した。先生が配ったジュースで乾杯したあと、クラスのみんながふたりにねぎらいの言葉をかけてくれた。

（ああ、そっか。もう終わったんだ。今日からは倉田くんと一緒に帰れないんだな）

うつむく花乃に、蒼一が声をかける。

「あのさ、これから実行委員の最後の仕事があるんだって。行こうよ」

「そうなの？　聞いてないけど……」

ふたりは、実行委員の集まりでよく使った空き教室へ向かった。

「倉田くん、だれもいないよ。あれ？」

花乃が目を留めた黒板には、こんな言葉が書いてあった。

『文化祭実行委員のふたりは、文化祭が終わってからも毎日一緒に帰りましょう』

それは、今やすっかり見慣れた蒼一の字にちがいなかった。

「――ということだからさ、その、よかったらこれからも一緒に帰らない？」

照れくさそうに言う蒼一に、花乃も頬を赤く染めつつ、うなずいたのだった。

♥episode - 08

# 負けたくない

高校二年、春。

桜が丘高校女子バドミントン部は新入部員が数名入ったことにより活気づき、三年生は六月に開催されるインターハイ県予選に向けて空気が張り詰めはじめていた。

一度でも負ければ、そこで引退。必死に足を動かしてラケットを振る先輩の背中に、そんな文字が書かれているような気がして。あと一年の時間が残っている私も、知らず知らずのうちに緊張感が芽生えていた。

「玲菜、もしかしたら団体戦のメンバーに選ばれるんじゃない？」

放課後の部活終わり。先輩たちのいなくなった部室で、同級生の瑠花が誇らしげに私のことをもち上げてくる。結っていた長髪をほどいて、私は苦笑いを浮かべた。

「ないない。先輩たち、最後かもしれないんだよ？　嶋田先生も、そんな大事な試合の団体戦を二年に任せたりしないって」

「でも嶋田って完全実力主義じゃん。三年生の引退がかかってても、勝ち抜くために二年生をオーダーすることも普通にありえるって」

「仮にあるとしても、任されるのは私じゃないよ。私は出場できても個人戦！」

　自分の実力は、自分がいちばんわかっている。だからそんな大事な試合に選ばれるはずがないと思っていたし、何より私は選ばれたくないとさえ思っていた。こんなことは部員はおろか、親友にすら打ち明けることはできないけど。

　だから翌日、部活終わりに嶋田先生から発表された団体戦のオーダーを聞いた時、私の背筋は凍りついた。

「団体のメンバーは、第一ダブルスが沖・福永ペア。第二ダブルスが後藤・山中ペア。第一シングルスは鈴代――」

　高校の団体戦はダブルスが二組、シングルスが三人。その第一シングルスに私の名前が呼ばれた時、集まっていた部員からわずかなどよめきが上がった。いつの間にか、喉がカラカラに渇いている。いつか上級生に言われた言葉が、頭の中をめぐっていた。

『二年のくせにっ……！』

練習後の清掃を終わらせて、私は初めてだれよりも早く体育館をあとにした。部室に置いたカバンを背負って、逃げ出すように昇降口へと向かう。だけどその途中、だれかのすすり泣く音が聞こえてきて私は足を止めてしまった。

三年間、頑張ったのに。そんな声が耳に届く。団体戦のメンバーに選ばれた先輩が、選ばれなかった先輩のことを慰めていた。私は、廊下に張りついた足を必死にはがして歩きはじめる。そんな時、

「鈴代」

大きな手が右肩に置かれて、ハッとした。振り向くと、そこには少し息を切らせた男子バドミントン部の先輩がいて。とっさに、いつもの笑みを張りつける。

「どうしたんですか、先輩？」

「いや、部室棟から見かけた時、めずらしく急いでるみたいだったから。気になって」

「急いでるように見えたってことは、呼び止めないほうがいいんじゃないんですか？」

私らしくもない言葉が口をついてしまって、ちょっとだけ後悔する。だからすみませんと謝ろうとして。それを口にするよりも先に、先輩が口を開いた。

「悪い、ごまかした。いつもより浮かない顔だったから、何かあったのかと思って。とりあえず、一緒に帰らない？」

断る理由もないからうなずくと、先輩はほっとしたように笑った。


なぜかコンビニ前で待たされ、ぼーっと暗い夜空を眺めていると先輩がミニサイズのカップ麺を両手に持って戻ってくる。すでにお湯が入っているのか、かすかに開いているふたのすきまから湯気が立ち上っていて。運動で疲れた体の中心からくーっという音が鳴りそうだった。

「元生徒会長が買い食いなんて、よくないんじゃないですか？」

「別に校則で禁止されてないし。それに元だから」

真面目な先輩らしくないなと思っていると、片ほうのカップ麺を私に差し出してくる。

「お金払いますよ」

「レシート捨てちゃった」

当然のように返され「ありがとうございます」と素直にお礼を言った。それから近くの公園のベンチに腰かけ、あたたかい麺をすする。

「同じバドミントン部だけど、男子と女子は練習場所が分かれてるから、こんなふうにふたりで話すのって久しぶりじゃない？」

「そうですね。私が入部したあたりに、一度か二度お話しして以来です」

そう言ってから、去年の秋ごろに生徒会室で話をしたことがあったのも思い出した。

初めて話をしたのは、東先輩に恋をしていた親友を応援するため。親友から失恋したって聞いてからは、なんとなく話しかけづらくなって、今日まで会話をしていない。

「それで、今日はどうして浮かない顔をしてるの？」

「私、みんなといる時は明るくしてますけど、ひとりでいる時はこんな感じですよ」

「それは知ってる。ただ今日は、いつもとちがって泣きそうな顔してたから――」

そんな顔、してたんだ。指摘されて初めて知った。ふだんの私を知っているのも、ちょっと意外で。先輩の目に映る私は、いつも明るい元気な鈴代玲菜だと思っていたから。

健康によくないから、ふだんラーメンの汁はぜったいに飲まないけど。今日は先輩に頂いたものだからか、お味噌汁を飲むようにひと口含んだ。そして、これもいつもの私ならぜったいにしないことだけど、めずらしく弱音を話す気になっていた。

「団体戦のメンバーに選ばれたんです。でも、本当は出たくなくて」

「どうして？」

「中学生のころ、先輩たちの最後の大会に選ばれた時に言われたことがあるんです。なんで二年生の鈴代が選ばれるんだって」

「それは鈴代が部活を頑張っていたからじゃないの？　うまい人が選ばれるのは当然の

ことだと思うけど」

「それはそうなんですけど、私が二年生に上がる前まではそうじゃなかったんです。基本的に団体戦は三年生で固めるのが部の方針で」

「もしかして、二年生に上がったタイミングで顧問が変わったとか？」

うなずいて、私は当時の部の環境をぽつぽつと説明した。それまでは年功序列でメンバーが選ばれていたのが、新任の顧問が厳しい人だったから実力主義になったこと。そして団体戦に選ばれることはないだろうと思っていたけど、自分よりうまい先輩が中間テストで赤点を取ったことからメンバーを外され、私がかわりに選ばれた。

四月からの部内の空気は張り詰めていて、先輩たちも気分を発散できる何かが欲しかったんだと思う。だから二年でゆいいつ団体に選ばれた私は陰口を叩かれるようになって、団体戦も一回戦で敗退した。

「……といっても、私の試合は結局なかったんですけどね。最初の二戦で先輩たちが負けちゃったから、私の試合は流れちゃって」

今思い出しても苦い記憶だ。試合に出て結果が残せていたら少しは見返せていたかもしれないのに、その試合自体行われなかったんだから。勝つことも負けることもなかったのに、私は会場の隅でひとり泣いた。それからだ。上をめざすことよりも、楽しくバドミントンができればいいと思うようになったのは。

「そういうわけですから、私は本当に試合に出たくないんです。こんなことを言ったら生意気だと思われるので、先輩にしか話しませんけど」

そろそろ帰るころ合いだと思って、容器を持って立ち上がる。すると先輩は「捨てとくよ」と言って、手を差し出してきた。迷ったけど好意に甘えることに決めて手渡すと、指先が軽くだけど触れ合った。

まったく意識をしていなかったから、私は飛び上がるように手を引っこめて。ごまかすように「あ、ありがとうございます」とお礼を言う。冷静をよそおったから、動揺したのはバレていないはず。その証拠に、先輩は気にした様子もなくまた口を開いた。

「うちの部の三年は、二年生が選ばれたからっていじめたりはしないよ。みんな大人だから。嫉妬はすると思うけど、ちゃんと応援してくれるんじゃないかな」

「……そうだといいんですけどね」

昔のトラウマが尾を引いていたから、期待なんてしてなかった。だけど翌日部活に行ってみると、タイミング悪く昨日泣いていた先輩と鉢合わせて。私の肩に手を置いたかと思えば「私の分まで頑張ること！」と、真剣な表情で激励してくれた。呆気に取られていると、今度は急に笑顔になって。

「玲菜のおかげで、残りの部活をがんばろって思えたよ。私は個人戦しか出れないけど、団体戦応援してる！」

「あ、ありがとうございます……」

お礼を言うと、先輩は軽い足取りで体育館のほうへと歩いていった。

東先輩が言った通り、私の悩みは杞憂に終わって。昨日本心を打ち明けたことで多少なりとも気持ちが落ち着いていたから、話を聞いてくれたお礼を言わなきゃと思った。

だけどなかなかタイミングが合わなくて。部活中、遠くのコートで試合をしている先輩を知らず知らずのうちに目で追っていた。男の人はずるいと思う。中学生の時点で背の伸び悩んだ私とはちがって、先輩は手も足もすらりと長いから。私が全力で動いてようやく拾えるシャトルも軽々と返している。

いつか親友が東先輩のことを好きになったのも、今の私ならなんとなく理解できた。部活が終わってから先輩を呼び止めて昨日のお礼を伝えると「困った時はいつでも相談してくれていいよ」と笑顔で言われた。先輩にだけ秘密を話したからか、それからは顔を合わせれば軽く話をするような関係になって。

公園でラーメンを食べた時に帰り道が一緒だということを知ったから、部活終わりはなんとなく一緒に帰るようになった。あの時本音で話をしたからか、先輩の前ではみんなの前で振るまうような〝明るい鈴代〟じゃなくて、自然体でいられた。それが心地よくて、いつしか私は先輩の前で自然と笑うことが増えたような気がする。

気づけば、インターハイの県予選がはじまっていた。団体戦ゆいいつの二年だった私は一回戦を勝利で終わらせられたけど、二回戦目で惜しくも敗れた。すでに二敗していたから、私の負けが確定した時点で団体戦の敗退が決まってしまって。一緒に戦った先輩たちとともに涙を流した。

県予選最終日。個人戦もすべて敗退してしまった女子バドミントン部は、残っている男子バドミントン部の応援をすることになった。だけど最後まで残っていた東先輩も準々決勝で敗退してしまって。観客席から応援していた私は、顔には出さないけど先輩がひどく落ちこんでいるのを察した。

帰り支度を早々に済ませ、敗者審判の終わり際に東先輩を探しにいく。あの時励ましてもらったから、その恩返しがしたかった。タイミングよく体育館から先輩が出てきて目が合う。するとおどろいたように目を丸めて、次の瞬間には困ったように笑った。

「情けないとこ見せちゃったな」

「そんなことないです。最後までかっこよかったですよ」

私は先輩を会場入口の自販機が置いてある場所まで連れていき、用意していた小銭でジュースを買った。「あの時のお礼です」と言うと、先輩は素直に受け取ってくれた。

指先で缶のプルタブを開けようとすると、なかなかうまく開けることができなくて。

そんな姿を見かねたのか、先輩はかわりに私の缶ジュースを開けてくれた。

だけど先輩は私のジュースを持ったまま、思い詰めたような表情を浮かべていた。

「なあ、鈴代」

「なんですか？」

「実は、ずっと言いたかったことがあるんだ」

首をかしげ、続きをうながす。意を決したのか、先輩は真っすぐこちらを見つめた。

「ずっと前から、鈴代のことが好きだった。俺とつき合ってほしい」

その言葉を聞いた瞬間、私の頭の中は真っ白になって。ようやく私も、東先輩を好きになっていたことを自覚した。

ゆっくりうなずいた私を見て、先輩は緊張していた表情をゆるめる。私も何か言葉にしなきゃと思って、その時湧き上がってきた正直な気持ちを声に乗せた。

「私も、先輩の彼女になりたいです……！」

♥ episode - 09

# 正反対のふたり

ひとつ前の席の井上くんは、このクラスの人気者だ。彼のまわりには男女問わず自然と人が集まり、笑い声が絶えない。だから、せっかく壁際の席になったというのに、休み時間にゆっくり読書をすることができない。

「三組のツッキー、鈴木さんに告白してOKもらえたんだって」

「マジ？　あのふたり、つき合ってるの？」

「でも、似合ってるかも。ほら、ふたりとも雰囲気合ってるし」

どうして、他人の恋愛話でこんなに盛り上がれるのだろう。似合っていようがいまいが、当人同士には関係のない話だ。

今日も、男女四人ほどが群がり、座る井上くんを囲んでいる。井上くんは休み時間は

いつも横向きに座っているから、その横顔と取り巻きが嫌でも視界に入ってくる。

「あー、彼女いない歴=年齢を早く抜け出したいぜ。な、井上」

「え？　小牧っちはわかるけど、井上くんもそうなの？」

小牧くんの言葉に、女子のひとりがおどろく。無理はない。井上くんは明るくてだれとでも気さくに話すし、顔も整っていてクラスではイケメン枠だからだ。

「意外ー。彼女いたことないんだ。本当に？　今も？」

「いないよ。ていうか、小牧っち、勝手にバラすなよ」

「いいだろ、そのくらい。ていうか、女子ってどんな男子がタイプ？」

笑い声がうるさい。私は開いた文庫本に目を落とし、また同じ行を読んだ。

ほら、やっぱり集中できない。

「うわ、字がぎっしり。園田さん、その本おもしろいの？」

ため息をつくと同時に、小牧くんが私に声をかけてきた。そのせいで、井上くんもまわりの人もこちらに注目する。

「普通だけど」

淡々と返すと、小牧くんは「ふーん」と鼻頭をかいた。ほら、こんなふうにしらけた空気になるんだから、私なんかに話しかけなきゃいいのに。

「あ、ちなみにだけど、園田さんの好きなタイプってどんな人？」

そのひとことで周囲の男女が吹き出す。なるほど、こんなふうに絡んで笑いを取りたかっただけか。

「なんで？」

「いや、学年一位の才女って、どんな男子が好みなのかなって思って」

すると、井上くんが小牧くんの腕を小突いた。

「おい小牧、園田さん困ってるじゃん。無理やり話に巻きこむなよ」

「私より成績がよくて、騒がしくなくて、読書のじゃまをしない人」

すかさず私が答えると、助け舟を出してくれた井上くん含め、しんとしてしまった。

そして沈黙を破るように、予鈴が鳴り響く。

「ほらー、冗談半分で絡むから、園田さん怒っちゃったじゃん。ごめんねー」

「ていうか、好きなタイプ俺らと正反対じゃん。やっぱ住んでる世界がちがうなー」

謝ったりおどけたりしながら席へと戻る人たち。私と井上くんだけが自分の席のため、動かない。

「前を向いたら？」

小牧くんたちがいなくなっても横を向いたままだった井上くんに声をかけると、彼は教室内を眺めたままで「先生が来たら、前向くよ」と言った。

「そう」

私は本を片づけて、英語の教科書とノートを机の上に出す。

教室内はまだざわざわしていて、教科書を準備する人たちが半分、前後ろや横の席で話を続けている人たちが半分だ。けれど、この場所だけ、なんとなくちがう空気が流れている気がする。

「いない、って言ったから、俺のこと怒ってる？」

私にだけ聞こえるくらいの小声。はたから見たら、私たちが会話しているようには見えないだろう。

「優子より成績がよくて、騒がしくなくて、読書のじゃまをしない人、だっけ？　俺、一個も当てはまってないんだけど、うるさくした仕返し？」

優子とは私の下の名前だ。やや早口の彼は、横向きのままで続ける。

「そもそも、騒がれたくないから秘密にしたいって言ったの、優子だからな」

尖らせた口をした井上くんは、そこまで言ってようやくちらりと私に視線を向けた。

ついさっきまで、たしかに心がモヤモヤしていたはずなのに、彼のそんな顔を見ると帳消しになってしまうから不思議だ。

「それはそうだけどさ」

だって、ぜったいに「似合わない」だの「正反対」だの「世界がちがう」だの言ってくる人がいそうなんだもん。だから、秘密のままがいい。そっとしておいてほしい。

「で？　本当はどんな男子がタイプなんですか？　園田さん」

井上くんは、わざとそんな言い方をしてじとっとこちらを見た。私は、英語のノートを立て、まわりから見えないようにして井上くんの腕に人差し指を当てる。

「私の前の席の人」

目を合わせ、微笑みながらそう言うと、井上くんは大いに咳きこんだ。と同時に先生が教室に入ってきて「起立」の号令がかかり、いっせいに椅子の音が響く。

耳の端を真っ赤にした井上くんは、立ち上がりながら
「彼氏の前以外でそんな顔するの禁止だからな」

と、手を口元に立て、こそっと言ったのだった。

♥episode - 10

# 本日、校舎、雨のち晴れのち涙

「木崎、まだ残ってたのか」

下校時刻間際の教室に、昨年担当していたクラスの生徒のひとりである木崎が窓から外を眺めてぽつんとひとり佇んでいた。

「あ、せんせー。今日も数学準備室で小テストつくってたの？」

内海の呼びかけに、黄色に近い長い髪の毛をふわりと揺らして木崎が振り返る。ぱっちり見える目元の化粧を見て、高校二年生にしては濃すぎるんじゃないか、と内海はいつも思う。

「そろそろ下校時刻だぞ。帰宅部のくせに何してんだ」

「だって雨が降ってるんだもんー。傘ないから止むの待ってただけー」

ほらあ、と木崎は窓の外を指差した。そんな木崎につられて、内海はなんとなく彼女のいる教室の中に足を踏み入れる。

「そういえば担任の高柳先生が嘆いてたぞ。木崎がいつも遅刻するって」

「朝起きれないんだよねえ。去年はせんせーが担任だったから頑張れたけど」

へらへらと木崎が笑う。

しかたのないやつだな、と思いながら、内海は強く言うことができなかった。こういうところがあるから、教職八年目なのにいまだ生徒になめられている、とベテラン教師たちに小言を言われるのだろう。

生徒たちになめられているのだとしても、慕ってもらえるのはうれしいことだ。その中でも、木崎は特に内海になついている。それはおそらく、他の先生に怒られている木崎を内海が庇ったことがあるからだろう。

外国出身の母親からの遺伝か、木崎の髪の毛はもともと色素がうすい。そのことは、担任だった内海はもちろん、他の先生たちも知っていた。にもかかわらず、入学してすぐのころ、風紀に厳しい先生に注意をされていた。

相当しつこい説教だったのか、木崎はふてくされた顔をしていた。それが余計に先生の怒りを買って、着崩された制服や化粧のことまで言い出した。そこに割って入ったのが内海だったのだ。

木崎の髪の毛が地毛であること、その他については担任の自分から注意をすること、このままだと生徒たちに注目されて木崎にとってもあまりよくないことなどを伝え、なんとか解放してもらった。

どうやら、そのことがすごくうれしかったらしい。それからというもの木崎は「せんせー、せんせー」とよく話しかけてくるようになった。そんなことで、と内海は思うけれど、それでも木崎になつかれるのは悪い気はしない。

ただ、今では地毛よりもはるかに明るい髪色で、化粧もどんどん濃くなっているし、スカート丈も短すぎると思うけれども。

と、思ったところで木崎のそばに紺色の傘があることに気がついた。

「木崎、傘あるじゃないか」

「これはせんせーの。返そうと思ってさー。覚えてる？」

木崎の言葉に、そういえば以前貸したっけ、と内海は思い出した。

「ちょうど、こんな雨の日の放課後だったな」

ついと視線を窓の外に向けて、灰色がまじった紺色の空と、降り注ぐ雨を見つめた。


半年ほど前のことだ。

二月末の寒い日の放課後、いつものように数学の準備室でテストの制作や採点などをしてから職員室に戻ろうとしたところで、窓から空を見つめる木崎の姿を見つけた。

声をかけると、振り返った木崎は涙をぼろぼろとこぼしながら、へらりと笑った。

いつも飄々としている木崎の泣いている姿におどろいた内海は、話を聞くことにした。その日は当時つき合っていた彼女とデートの約束をしていたが、放っておけないと思ったのだ。

「あたし、失恋しちゃった」

内海に借りたハンカチを頰に当てて、木崎がつぶやいた。

「……やっぱりあたしが子どもだからダメなのかなあ」

「そんなことは関係ないと思うけどな」

相手は高校の先輩か、どこかで出会った大学生だろうと想像し、内海は頭をかきながら答える。どっちにしても、年が問題なわけではないだろう。自分なら、数歳年下なだけで子どもだとは思わないだろうと思っての返事だった。

「じゃあ、頑張ったらまだ望みある？　その人の彼女に勝てる？」

「彼女もちはやめとけ。時間のムダ」

「……ムダ、かあ」

しょんぼりと木崎が肩を落とし、また涙を流す。

「縁がなかったんだよ。もっといいやつがきっと現れるから、切り替えるしかないだろ」

「せんせー、失恋した女の子慰めるの下手すぎるね」

ずびっと鼻をすすって木崎が呆れたように言った。

そんなこと言われても、そりゃそうだろ、としか思わなかった。もうすぐ三十歳になる自分に、女子高生の恋愛相談なんか乗れるわけないだろ、と。そもそも内海はこれまでつき合った女性にはだいたい〝私の気持ちがわかってない〟という漠然とした理由でフラれているのだ。

放課後だったからか、つい、そんなことを正直に木崎に言ってしまった。

「俺なんかに恋愛の悩みを言うほうがまちがってる」

「……っふ、ふふ、何それ。ひどー」

泣きながら吹き出して笑う木崎に、自分がとてもカッコ悪い気持ちになった。

でも、しかたないじゃないか、と子どものように拗ねてしまう。

「せんせー、今の彼女大事にしなよ」

「……っな、なんで知ってるんだ」

「噂になってたもん。昨日男子にバレたんでしょ。もう校内で知らない人いないかも」

泣いたあとの真っ赤な目を細めて木崎が笑った。

なんてはずかしいんだ。生徒たちの間で自分の恋愛事情が噂になっていることにいたたまれなくなった。ふだんから木崎には「そんなんじゃ彼女できないよ」とか「せんせーまたカップ麺食べてる、料理しなよ」「せんせー寝癖ウケる」などとからかわれているが、今日ほど情けなくなったことはない。

「あたしは女子たちに、せんせーは恋愛相談下手くそ、ってちゃんと伝えとくから」

そう言ってケラケラと木崎が笑う。木崎はいつも笑っていた。だから、泣いているよりも、笑ってくれているほうがいい。

まだ雨が降っていたので、内海は木崎に持っていた傘を貸した。紺色の傘に「ださい」「かわいくない」と文句を言いながら、その日、木崎は笑って帰っていった。

窓の外から、雨音が響く。

あの雨の日から半年がたった。木崎は二年に進級し、内海は担任ではなくなった。おまけに木崎のクラスの数学も内海の担当ではない。だからか、こうして木崎とふたりで話すのは久々だ。

「ねえ、せんせー」

過去を思い出していると、隣の木崎が呼びかけてきた。

「あれからだれかに恋愛相談された？」

「されるわけないだろ。っていうかされなくていいし」

うはは、と木崎が声をあげる。

「せんせー、彼女にそろそろ愛想つかされたころじゃないの？」

「……大きなお世話だ」

ぐっと言葉に詰まりつつ、なんとか返答する。

木崎の言う通り、二か月ほど前、内海は彼女にフラれていた。半年前のあの日、デートに遅刻したことがきっかけで、うまくいかなくなってしまったのだ。

木崎は内海を見てにやにやしている。

「なんだよ」

「別にー」

「で、木崎は最近どうなんだ？　今なら恋愛相談も乗ってやるぞ」

「えー。せんせーにしてもなあ」

ケラケラと笑ってから、木崎は「そうだなあ」と言葉を続けた。

「あたしの最近かあ。まあ、さっさとあきらめないとなあと思ってたんだけど、なかなか難しくってさ。で、なんとなく、朝から雨で、せんせーのこと思い出したんだよね」

内海は「ふうん」と言いながら首をひねる。

木崎が何を言おうとしているのか、よくわからなかったが、深く考えることをやめる。そのほうがいい、と感じたからだ。

空から雨が降り続いている。けれど、心なしかさっきよりも勢いはなくなっているような気がした。うっすらと、空の雲もうすくなっている。

「せんせー、女子にそこそこ人気あるのに、残念だよねえ」

「女子高生に人気があったってなんもうれしくねえよ。それより真面目に授業を聞いて、テストでいい点数とってくれたほうがうれしいね」

「枯れてるなあ。花の女子高生だよー？」

そう言って、ひじで突かれる。

「生徒は生徒だから、生徒以上でも以下でもない。この先もずーっとな」

そんなこと考えたことすらないので、内海ははっきりと言って首を振った。教師として、それは当たり前のことだ。

どんなに美人でも、どんなにかわいくても。

たとえどれだけ自分を慕って、なついてくれている相手でも。

木崎と目を合わせると、彼女はその視線を真っすぐに受け止めたあと、するりと逃げるように顔をそらした。

「かっこつけちゃってさ。つまんないのー」

拗ねているな、と思う。でも、内海は何も言わなかった。

いつの間にか雨が止んでいた。もう日がしずんでいるため青空は見えないが、地上に近い部分だけが、じわりと夕日の色を滲ませている。

「雨も止んだし、そろそろ木崎も帰らないと」

うん、と小さな声で木崎が言い、内海が貸していた傘を手にする。木崎はそれを、名残惜しそうにゆっくりと持ち上げる。

「木崎。前にも言ったように、縁がない相手はさっさとあきらめろ」

そのほうが、木崎のためだ。その言葉が彼女を傷つけるかもしれないことをわかっていて、内海は口にする。

木崎は目を丸くしてから、差し出した傘を再び自分の元に引き寄せた。

「やっぱこの傘、返すのやめる」

傘を抱きしめて、木崎がにっと白い歯を見せる。

「え?」

「また降るかもしれないし、この傘もらうことにする!」

そう言うと、木崎はカバンを手に取って、軽やかな足取りで内海から離れていった。

「じゃあね、せんせー」

振り返った木崎は、笑って言った。

やっぱり、木崎は笑っているほうがいい。

——たとえ教室を出たあと、廊下でひとり失恋に涙を流していたとしても。

自分の前で笑ってくれる木崎は、内海にとって大事な生徒のひとりだ、と思う。それ以上にはなれないけれど、それ以下にもならない。

半年前の木崎が泣いていた日は、内海に彼女がいることが生徒たちにバレた日だった。内海に失恋したから、彼女は泣いていた。

でも、内海に彼女がいようといまいと、ふたりの関係は変わることはない。だから、内海は木崎の気持ちに気づいていながら気づかないフリをする。

雨上がりの空を見上げて、内海はしばらく教室の中で佇んでいた。きっと廊下では、木崎が涙をこぼしているだろうから。

♥episode - 11

# 再会(さいかい)

柊真(しゅうま)が春休みのうちに引(ひ)っ越(こ)して、別の中学へ通うことをみんなが知ったのは、六年の三学期のことだった。

クラスの女子の間で、柊真(しゅうま)はかなり人気があった。特にかっこいいってわけじゃないけど、みんなに優(やさ)しくて、おもしろくて、男子からの信頼(しんらい)が厚(あつ)いところもよかった。

風花(ふうか)の友だちの中にも、卒業式のあと柊真(しゅうま)に告白(こくはく)するとか、連絡先(れんらくさき)を聞くとか言っている子たちがいたけど、みんな結局、何もしなかった。

なぜなら柊真(しゅうま)は風邪(かぜ)を引いて、卒業式に出席できなかったのだ。

中学に入ってからも、小山(こやま)とか竹本(たけもと)とか、柊真(しゅうま)と特に仲のよかった男子は、連絡(れんらく)を取り合っているようだ。本人のいない教室で、風花(ふうか)が柊真(しゅうま)の名を耳にするのは、彼(かれ)らが話していたためだった。

（いいな。あのふたり、今も柊真くんに会ってるんだ）

風花は、彼らに「柊真くんの連絡先、教えて！」なんて言えない。

柊真と特に仲良くもなかった自分が聞くのはすごく不自然だし、いろいろと勘ぐられるのは目に見えている。

（いつかどこかで柊真くんにばったり会えたらいいのに……）

その時は、なんとかして連絡先を聞こう。そう思い、人知れずシミュレーションするのが風花の日課だった。

柊真くんを好きかもしれない、と風花が初めて認識したのは、五年生の二学期の終わりごろだった。

教室の掃除とか、校庭のゴミ拾いとか、そういうことをちゃんとやらない男子に対し、一部の女子が騒ぎ立てたことがあった。

そこから、クラスの男女間に対立が生じ、女子の中に、男子と口を利いた人を仲間外れにするという、妙な空気が流れ出した。

（サボってた男子って、ほんの数人だったよね。それで男子を全員無視するって意味わかんないな）

風花の本音はこうだったが、そんなことを口にしたらどうなるかは、火を見るよりあきらかだ。だから、ぐっとのみこむしかなかった。

そんなある日の放課後、「バイバイ！」と声がして、振り返ると柊真がいた。顔を少し赤くして口を真一文字に結んで、風花をじっと見ている。

「あ、バイバイ」と返すと、花のつぼみがふわっとほころぶように微笑んで、

「よかった。今日、女子にバイバイして、返事してくれたの風花さんだけ」

と言い残し、手を振りながら駆けていった。

その時、風花の胸に湧き上がってきた気持ちは、今もまだうまく言葉に当てはめられない。おそらく、いちばん近いのは『好き』なんだろうと気づいてから、風花はずっと

柊真のことを目で追うようになった。

六年生になると、男女間にただよっていた険悪な雰囲気が、うそのように消え去っていった。それどころか、今度は「男子の中でだれが好き？」という話題でもちきりだ。

そのうち、クラスの女子の大半が柊真を好きだと言い出して、風花は自分の気持ちをだれにも言えなくなってしまった。

ただ、そんな気持ちも、中学が離れたらだんだんうすれていくものだと思っていた。

ところが、風花の胸にはいつまでも柊真が居座り続けている。

柊真と仲のよい、小山や竹本と同じクラスになってしまったせいかもしれない。

彼らの会話に聞き耳を立てて、柊真の今を知ることができるから、気持ちがなかなか色あせてくれないのだろう。

「柊真さ、結局サッカー部に入ることにしたって」

「えーっ、じゃあ、あんまり遊べなくなるな」

「でも、日曜は練習がない日もあるから、土曜の夜に泊まりにこいって言ってたよ」

「いいな、それ。土曜、塾が終わったら真っすぐ行こうかな。あいつんちって、今、どこだっけ？」

「東山町だって。ほら、市民の森公園の近くだよ」

今日もまた有力な情報を手に入れてしまった、と風花はひそかに興奮した。

柊真が通う山田中学校のサッカー部には、風花のいとこの友樹がいる。前に友樹ママと練習試合を見にいったことがあった。友樹は今年三年だけど、引退までは柊真の先輩ということになる。

思わぬところで柊真との共通点ができて、風花はうれしかった。

（放課後、何気なくグラウンドへ行ってみようかな。遠くから柊真くんの姿を見るだけでもいい。だれかに聞かれたら、いとこに会いにきたって言えばあやしまれないよね）

今にも踊り出したいような気持ちを抑えて、風花は放課後を待ちわびた。

いったん家に帰って着替えると、友だちと約束があるからと言って、風花は家を出た。

買ったばかりのパーカに、制服以外では滅多にはかないスカート。前髪は流してピンで留め、お気に入りの帽子をかぶった。足元は、柊真がよく履いていたスニーカーの色ちがい。

（だいじょうぶかな？　小学生の時と、少しはちがって見えるかな。あっ、ちがいすぎてだれだかわからなかったりする？　うーん、さすがにそれはないか）

精一杯のおしゃれをしてバスに乗りこむと、風花は山田中へと向かった。

（おかしいな……。前はこのグラウンドで練習してたのに）

フェンス越しに見えるグラウンドには、ほとんど人影がない。ゆいいつ、部活の練習と思えるジャージ姿の人たちは陸上部員のようだった。

「何してるの？」

後ろから声をかけられ、ドキッとして振り返ると、見知らぬ男子生徒が立っていた。

「あっ、あの、サッカー部は？　えっと、いとこに用があって……」

「サッカー部？　ああ、今日の練習は休みだって言ってたよ」

（まさか休みだなんて……。友樹くんに聞けばよかった）

一日だけでも柊真の姿を見ることができたら。そんな淡い期待で膨らんでいた風花の胸が、しゅるしゅると音を立ててしぼんでいく。

うなだれながら歩いていると、耳の奥で、休み時間に聞いた小山たちの会話が再生された。

「あいつんちって、今、どこだっけ？」

「東山町だって。ほら、市民の森公園の近くだよ」

ななめがけしたバッグから、風花は急いでスマホを取り出した。中学入学のお祝いに買ってもらったものだ。

（市民の森公園……徒歩二十分か。そんなに遠くない）

地図アプリで道順を確認しつつ、風花は市民の森公園をめざした。


「ただいまあ」

うだ。

玄関ドアを開けたすきまから、母の笑い声が聞こえてくる。だれかと会話しているよ
(やだなあ、お客さん？　こんな時に、だれにも会いたくないのに)

市民の森公園に行ったところで、柊真を見かけることはできなかった。広い公園の中をしばらくうろうろしてみたけど、それらしき人物には出会わなかった。

風花は長いため息をつきつつ、のろのろとスニーカーのヒモを解く。

すると、玄関に同じスニーカーの色ちがいがあることに気づいた。家族のものではない。風花のサイズよりふたまわりは大きかった。

「風花、帰ったの？　ほら、お友だちが来てるわよ」

「どうも」

と言って、リビングから顔を出したのは、まぎれもなく柊真だった。

「えっ、あっ、えっ？　ど、どうも」

「おじゃましてます」

　ふたりのぎこちないやりとりに、風花の母はくすくすと笑い出した。

「今日ね、スーパーの特売で買いこんだら、エコバッグの持ち手のところが取れちゃってね。それも道路の真ん中で。車が来なかったのはよかったけど、あれこればらまいちゃって。困ってたら、柊真くんが拾ってくれたのよ。最初は気づかなかったけど、『あれ、この顔知ってる』って。荷物も持ってもらったし、家に上がってもらったのよ」

「そうだったの。ごめんね、なんか。強引に連れてこられたんでしょ」

「そんなことないよ。風花さんのお母さんだってわかったから」

「そうよ。せっかくだから風花に会ってほしくて。でも、今日に限って帰りが遅いんだもの。柊真くん、そろそろ帰るって言ってたところだったのよ。間に合ってよかったわ。ほら、風花、バス停まで送ってあげて」

　こうして、ふたりは夕暮れの中、並んで歩くことになった。

（さっきまで、もう二度と会えない気がしていたのに……何この展開。あ、連絡先、聞かなきゃ！　でも、どうやって聞こう）

何度もシミュレーションしていたものの、こんな急展開じゃ役に立ちそうにない。あせる風花の横に、ずっと会いたかった柊真がいる。色ちがいのスニーカーを履いて。

「風花さん、あいつらと同じクラスなんでしょ？」

「ああ、小山くんと竹本くんだよね」

「そうそう」

「今もよく会ってるの？」

「うん。ちょくちょく。ぼくが部活入ったから、ちょっと減ったけど」

「仲いいなあ。家は引っ越したんだよね。今日はどうしてこのへんにいたの？」

「今日、部活が休みになったから、たまたまね。ちょっとなつかしくなって」

それから、柊真がサッカー部に入ったことを聞き出した風花は、いとこの友樹の話をした。それが想像以上に盛り上がり、この雰囲気なら連絡先を聞いてもおかしくないかなと思ったところで、バス停に着いてしまった。

「あー、あと十分ぐらい来ないね」と、時刻表を見ながら風花が言う。

「十分か……あのさ、ちょっと相談していい？」と、柊真。

「相談？　なんの？」

「うーん、ジャンル的には、その……恋愛相談になるのかな」

それまでふわふわしていた風花の心が、急に地面に叩きつけられたようだった。

（そっか。中学に入って、好きな子ができちゃったのかな。せっかく再会できたのに）

そんな本音を悟られないように、風花は笑顔で「いいよ」と答えた。すると、柊真は風花のほうは見ずに、相談内容を口にした。

「今、久々に会えた、ずっと好きだった子と一緒にいるんですけど、告白しようとしたら緊張しすぎて、なんて言ったらいいかわかりません！」

おどろいて柊真を見ると、耳まで真っ赤になっている。初めて見る顔だった。

「えっ？　えっと、その、なんて言ったらいいかわからないなら……て、手でもつないじゃったりなんかするのは、どうでしょう？」

それからふたりは無言で手をつないだまま、二台もバスを見送ってしまった。

♥ episode - 12

# 色あせない記憶

中学三年、春。バドミントンの団体戦で敗れた俺は、あまりの悔しさにチームメイトのいる場所まで戻れずにいた。今慰められでもしたら、はずかしげもなく涙を流してしまいそうだったから。

気持ちが落ち着くまであてもなく会場をさまよっていると、入口のベンチに座って泣いている女の子を見つけた。背中には北中のゼッケンが縫いつけられている。名前は、鈴代。俺と同じく試合に負けたのかと、その時は思った。

彼女の気持ちが痛いほど理解できたから、数分迷って近くの自販機でジュースを買いにいき渡そうとした。だけど戻った時にはベンチはもう空席になっていて。

それ以来、もう迷うことはやめようと決意した。

高校に進学して鈴代という女の子がバドミントン部へ入部してきた時、当時顔は見なかったけど、あの時の女の子だと直感的に理解した。中学生の時ベンチで泣いていた彼女の面影はなくなっていて。気づけば彼女の姿を目で追うようになっていた。たぶん、一目ぼれだった。

迷うことのない人生を送りたいと決意したけど、そんな俺の気持ちを恋愛というものはかんたんに鈍らせて。結局のところ、この気持ちを伝えるのは部活の引退が決まった時にしようと決めた。もしフラれれば、おたがいに部活で支障がありそうだから。

そうして引退が決まった時に、鈴代にようやく想いを伝えた。好きだと真っすぐ口にすると、彼女はわかりやすく固まって。次の瞬間には顔がきれいに赤く染まった。きっと、俺も同じような表情をしていたと思う。

ずっと好きだった鈴代は、俺の告白に一度ゆっくり息を吐いて……うなずいてくれた。

これまでの人生で、いちばんうれしい瞬間だった。

だけどそれからというものの、なんとなく鈴代に避けられるようになって。

恋人になるまで続いていたメッセージのやりとりも、彼女のほうから途切れることが多くなって。半月がたったころには、俺も送るのにためらいを覚えるようになって。

それからは、ぴたりと動くことがなくなった。

初めは、突然変わった関係性になじむことができないだけだと思っていた。だけどつき合いはじめて一か月がたった日。鈴代は急に、メッセージで別れを告げてきた。

『軽々しく告白の返事をして、すみませんでした。やっぱり先輩のことを、そういう目で見ることができなかったです。振りまわしてしまって、本当にごめんなさい』

別れの文章を読んでかなり落ちこんだ俺は、何がダメだったのか聞こうとしたけど。

初めから、後輩の鈴代に気をつかわせていただけなんじゃないかと想像してしまった。

『わかったよ』

結局、そのひとことだけを返して恋人としての関係を終わらせると、空いてしまった心のすきまを埋めるべく、受験勉強に気持ちを切り替えることに決めた。

それから真面目に勉強を続け、無事に志望校に合格した。だけどその時期になっても、俺は鈴代のことをあきらめきれないでいた。

やっぱり、何がダメだったのかを聞いておきたくて。いつもなら授業が終われば友だちとすぐに帰っていたけど、今日は図書室で部活の終わる下校時刻まで時間をつぶし、ころ合いを見計らって昇降口で鈴代がやってくるのを待った。自販機であたたかいお茶を買って指先をあたためていると、遠くからぞろぞろと部活の終わった生徒が歩いてくる。しばらく見守って、その集団の中に鈴代を見つけた。俺は覚悟を決めて、下駄箱で靴を履き替えている彼女の元へ向かった。

「鈴代、ちょっと話があるんだけど」

「え?」

スノーシューズに足を通していた鈴代がこちらを見上げる。するとわかりやすくあわててよろけたかと思えば、後頭部を軽く下駄箱に打ちつけて「いたっ!」とうめいた。

「……大丈夫か?」

「うわ、ごめんなさい……すみません。びっくりして……」

鈴代の声は上ずっていて、あきらかに動揺している。スノーシューズを履き直すのを見守り落ち着くのを待つと、彼女はとても申しわけなさそうに「本当にすみません……」と謝罪してきた。

「今日、一緒に帰ってもいい？」

「はい……」

萎縮しているのか、百五十センチほどの彼女が今日はいつもより小さく見えた。マフラーから顔を出す頬が赤く染まっていて。そんな彼女のことが、俺はやっぱり好きなんだと実感した。


十二月の鈍色の空から、例年よりひと足早い雪の結晶が降りている。見慣れたアスファルトの上には無数の足跡のついた白い絨毯が敷かれていて。一週間前から今日は雪が降ると言われていたのに、鈴代は傘を持っていなかった。

「入りなよ」

「だ、大丈夫です。お気遣いなくっ！」

「部長だろ？　風邪引いたりしたら、部員に迷惑かかるから」

「いやぁ、でも……」

「いいから」

半ば無理やり鈴代を俺が差す傘の中へ入れて歩きはじめると、新しい雪の上にふたり分の足跡ができた。歩くたびに彼女の肩が俺の肩に触れて。コート越しだったけど、なんとなく体温が伝わってくるようだった。

「……あの、先輩」

「何？」

「今さらですけど、ごめんなさい。告白してくれたのに、傷つけるようなことをしてしまって……」

鈴代はわかりやすく肩をすぼめ、今にも罪悪感に押しつぶされそうな表情をしている。

「なあ、鈴代。今日は別に、恨みごとを伝えたいから待ってたわけじゃないんだよ」

「……じゃあ、どうして待ってたんですか？」

「ずっと何がダメだったのか、聞いておきたかったんだ。未練がましいって思うかもしれないけど、今でも鈴代のことが好きだから」

タイミングよく赤信号で足が止まる。目の前の車が一台ずつ動きはじめて。それを意味もなく目で追っている時間が永遠にも感じられた。

それからしばらくたって、信号が青に変わる。だけど鈴代が歩き出す気配がなかったから、そのまま雪の降る歩道の上に立ちすくんでいた。すると。

「ちょっとだけ、打ち明け話をしていいですか？」

「いいよ」

「実は私の親友は、先輩のことが好きだったんです」

「……親友って、中野さんのこと？」

一応確認すると、鈴代はうなずいた。中野羽衣さんは、俺が生徒会長だった時に会計の役員をやっていた子だ。今は、生徒会長として活躍している。

「……そうだったんだ。全然気づかなかった」

「気づかないのも無理ないです。羽衣は奥手だから、先輩に好きな人がいることに気づいてあきらめちゃったんですもん」

「その好きな人っていうのは、もしかして……」

「そうです。先輩は私のことが好きだって、ずっと前から知ってたみたいです。私にも、つい最近まで教えてくれなかったんですけどね」

「つい最近?」

「一週間くらい前、羽衣に正直に話したんですよ。半年前に、少しの間だけ先輩とつき合ってたって。その時に教えてもらいました」

「そうだったんだ……」

　気づけば次の青信号がやってきて。鈴代が歩き出したから、遅れて足を進める。しばらく住宅街を無言で歩いていると、彼女は続きを話しはじめた。

「……実は、ずっと心に引っかかってたんです。羽衣が好きだった先輩とつき合ってるって知ったら、嫌われるんじゃないかって……だからずっと、つき合っていた時も悩んでたんです……先輩のことは好きだけど、羽衣のことも好きだから、ぜったいにどちらかを傷つけることになるって……」

鈴代の声は震えていた。立ち止まって、手の甲で目元をぬぐいはじめ、思わずハンカチを渡す。彼女は素直に涙を拭いてくれた。

「気づいてあげられなくて、ごめん……」

真冬の世界を、さびしい言葉だけが通り抜ける。また落ち着くのを待っていると、次第に雪が止んできて。傘を閉じようとすると、鈴代はコートの袖を優しくつまんできた。

「閉じないでください……泣いてる顔、見られたくないです……」

うつむきながらつぶやくと、今度は俺の胸にそっと顔を押しつけてきて。ほのかに香る鈴代の甘いにおいが、鼻腔を優しく通り抜けた。

「……羽衣に正直に話した時、言われたんです。どうして、もっと早くに教えてくれなかったの、って」

「そっか……」

「実は、怒られたんです。私は親友の幸せを妬んだりしないって。教えてくれたら、だれよりも先に祝福したのにって……」

気づけば、心臓が早鐘を打っていた。たったふたりだけが、世界に存在するような錯覚を覚えて。そんな夢心地な空想にひたっていると、いつの間にか鈴代は上目遣いで俺のことを見つめていた。

「……好きです」

「うん……」

「また私を、先輩の彼女にしてくれませんか……？」

♥episode - 13

# 階段一段分の乙女心

「でっか。中学生かよ」

「男みたいだな」

小さいころから背が高かった私は、男子たちによくからかわれた。けれど、小学四年生くらいにはもう、そのコンプレックスを笑いのネタにする術を身につけていた。

「男女でーす。よろしく」

「ねたまない、ねたまない。そのうちキミたちも大きくなるって」

女なのに高身長というのを茶化すひょうきんキャラ。それが定着すると、他の女子たちが普通にしているおしゃれを同じようにしただけで、ツッコまれるようになった。リボンやハートをあしらった小物も、フリルつきの洋服も、私には似合わないらしい。長い髪をアレンジして結んだところで「何ごと？」って言われることがしばしばだった。

「こずえ、バッサリ切ったね。ショート、すっごい似合うよ」

だから、みんなが思う〝私らしい〟髪型にしたし、身長をいかしてバレー部にも入った。結果、高校生になった今では身長一七〇センチのエースアタッカー。試合中には女子から黄色い声が聞こえるほどになった。

「岩本桐士郎です。よろしくお願いします」

小学校の同級生だった男子、岩本くんが転校してきたのは、高二に上がった春のことだった。

え？　嘘だ。体が小さくて顔もかわいかった、あの岩本くん？

当時、私とは逆に「女男」とからかわれていた男の子。その彼が、背も高くなり、落ち着き大人びた雰囲気で黒板の前に立っている。

おっきいな。一八〇センチ以上は確実にある……。

岩本くんが頭を下げて席へ向かう時、一瞬だけ目が合った。その時、昔の思い出が急によみがえり、私はあわてて顔を伏せる。

そうだ、私、岩本くんにひどいこと言ったんだった。

あれは、たしか小学六年生の時だ。まわりの悪ノリで、私と岩本くんが階段で背比べをさせられたことがあった。その時、私は一段下に下りて「これでちょうど一緒の高さだね」なんて、いつものおちゃらけた態度で軽く言ってしまったんだ。

その時の岩本くんの傷ついた顔。きっと、コンプレックスで悩んでいたのだろう。男子たちからだけではなく、女子の私からもイジられて、みじめな気持ちになったにちがいない。

あぁ……気まずいな。岩本くん、覚えてるかな……。

岩本くんは小学校卒業と同時に引っ越し、それ以来会っていなかった。それが、まさか私のクラスに転入してくるなんて、なんの因果だろう。

岩本くんは特に話しかけてくることもなかったので、私もあえて声をかけなかった。
もしかしたら、あのできごとどころか私の顔や存在さえ忘れているのかもしれない。

「こずえー、何か落としたよ。あ、ポーチじゃん」

数日後の放課後、教室で部活へ行く支度をしていると、友だちのミカがバッグから落ちたポーチを拾ってくれた。

「ありがと」

「それ新品？　レースとかスパンコールついててかわいい。でも、こずえっぽくないね」

あぁ、やっぱり言われたか。雑貨屋で一目ぼれして買ったけれど、あまりにも女子っぽい感じが、私には不釣り合いなのだろう。

「貰い物だからさ、使わなきゃもったいないって思って」

なんで私は、嘘をついてまで、こういうのが好きだということを隠しているんだろう。
本当は、ふわふわひらひらキラキラとか、パステルカラーとか、女子っぽいものが大好きなのに。いつも、モノトーンとかシンプルなものばかり身につけてしまう。

「お、笹壁じゃん」

廊下へ出ると、男子バレー部の野本先輩がたまたま通りかかり、声をかけてきた。ちがう棟だからふだんは部活以外で会うことが少ないけれど、今日はこちらの棟に用事があるらしい。

「いつもジャージだから、制服姿は見慣れなくて変な感じだな」

「はいはい、男がスカートはいてるみたい、って言いたいんですよね」

「ハハ、よくわかったな。でも、今の時代、男とか女とか関係ないから、堂々とスカートはいてもいいんだぞ？」

「それ、本当の男の人に言う言葉ですよ」

こういう時は先手を打ち、笑って受け流すに限る。いちいち傷ついて空気を壊すわけにはいかないのだから。

その時、教室の出入口から出てきた岩本くんと目が合った。ドアのふちに手を当て、意味深な目で私を見下ろしている。

「あ……ごめん、じゃまだね、私」

「いや、別に。バイバイ」

「バ、バイバイ」

岩本くんが立ち去り、その後ろ姿を見送る。背筋が伸びてるからか、なおさら高身長に見えた。

「でけー。あんなやついたか？　転校生？　男子バレー部に入ってくれないかな」

先輩の声を聞きながら、私は久しぶりに岩本くんと言葉を交わしたことにドキドキしていた。


数日後の放課後も、野本先輩が二年の教室まで来た。私に用事かと思って急いで廊下へ出ると、岩本くんを部活に勧誘しにきたらしい。

でも、岩本くんを呼んで話をした野本先輩は、速攻で断られていた。岩本くんはすでにバスケ部から声がかかっていて、来週からそちらの練習に参加するそうだ。

「ひと足遅かったか。でも、しかたないな。それじゃ、笹壁、おまえはサボらずに来いよ。今日は男女混合練習だから、ビシバシきたえるぞ」

野本先輩は、そう言って去り際に思いきり私の背中を叩いた。

「いったー……」

背中も痛いけれど、おなかにも振動が響く。生理中だからだ。しぼられるような痛みもあるし、貧血気味でふらふらする。そんな私の顔を、岩本くんがのぞきこんできた。

「大丈夫？　顔色悪いけど」

「うん、大丈夫。ありがとう。それじゃ、部活行くね」

私は肩にバッグをかけ直して、教室を出た。

「笹壁」

すると、階段を数段下りたところで後ろから呼び止められる。岩本くんが、ハンカチを手に持ち、こちらに見せるように揺らした。

「これ、落としたよ。笹壁のだろ？」

私と同じ段まで下りてきた岩本くん。差し出されたハンカチは、四隅にレースがあしらわれ、淡い紫とピンクのまざった、かわいすぎるハンカチだった。

「あ、ごめん。そうなの、ありがと」

はずかしくなって、すぐに受け取ってポケットにねじこむ。最近物を落としすぎだ。しかも乙女趣味な小物ばかり。こっそり使用して、こっそり満足するためのものなのに。

「変だよね。アハハ」

「別に？　小学校の時も、そういうの好きだったでしょ、笹壁」

私のことを覚えてたんだ、という気持ちと、そんなこと知ってたんだ、という気持ちで目が丸くなる。見上げると、岩本くんの顔。平然とした表情だ。

「ていうか、本当に顔色悪いから休めば？」

「大丈夫だよ。だって、私、他の子より丈夫だからさ」

そう言って笑ったとたん、立ちくらみがした。足がカクンとなってしまい、階段を踏み外すのではないかという恐怖で「キャッ！」と短く声が出てしまう。

とっさに岩本くんが私の腕をつかんで支えてくれたおかげで、倒れずに済んだ。けれど、つかまれた部分に意識が集中し、心拍数が一気に跳ね上がる。私は持ち前の茶化し芸で、わざと笑った。

「ごめんね、『キャッ』だって。ハハ、なんか女子っぽかったね」

「女子でしょ」

岩本くんがすかさずそう言うと、遠くでガヤガヤ聞こえていた音が消え、この空間だけ空気が止まった気がした。

「笹壁ってさ、まわりからのイメージに自分を合わせすぎじゃない？」

その言葉は、トスンと私の胸を射抜く。

わかってる。わかってた。でも、傷つきたくなくて、それを鎧にしていたんだ。言われて嫌だとか、自分はこれが好きだとか、そんな弱くてやわらかい部分を内側に隠し、必死に守ってきた。

だから、今さら、人前で女子の部分なんて出せる気がしない。私はすぐに自虐的な笑いに走ってしまうし……。

岩本くんが、ゆっくりと私の一段下へと下りる。すると、見上げていたその顔、その視線の高さが同じになった。

「これでちょうど一緒の高さだね」

ずっと無表情だった岩本くんがそう言って、口角をわずかに上げた。それを目の前で見た私は、いつもならすぐに冗談を返せるはずが、うまくいかずにうろたえる。口をパクパクし、言葉を探すうちにみるみる顔が熱くなった。

唾を飲みこみながらうなずいた私は、胸を押さえる。

あれ？　ヤバイ。私、この人の前でだけは、女子になってしまうかも。

心地いいような悪いような、なんとも言えないとまどいを感じながら、私はかろうじて
「……うん、ホントだ」

と、おもしろくもなんともない返事をしたのだった。

必勝

episode - 14

# 勝負は終わらない

ぜったいに、ぜったいに、あいつには負けたくない。

あいつ——大地と出会ったのは、小学四年生の運動会で出場した、パン食い競走の時だ。引っ越してきたばかりだった隣のクラスの転入生、大地は、あたしよりも先にパンをくわえると、ちらりと振り返って笑った。

その笑みが、もともと負けず嫌いのあたしの心に火をつけた。

それから、あたしたちはありとあらゆることで戦い続けている。

テストの点数。夏休みの宿題を終わらせる日。給食の牛乳一気飲み。息を止められる時間。暗記のスピード。バスケットボールでのシュート数。

昔は短距離走やマラソンなど体力勝負もしていたが、中学二年生になった今では、大地との体格差がかなり広がったので、それは競えなくなってしまった。

だからこそ！　他では負けない！

ピピピピピ、と時計のアラーム音が聞こえるや否や、ベッドから飛び起きる。すぐに制服に着替えてリビングに向かった。空気も床も凍えるような寒さだけれど、気合を入れる。むしろ目が覚めてシャキッとするので寒いのは好都合だ。

「今日はまた一段と早いわね、葵」

キッチンにいたお母さんが、呆れた顔をしてあたしに言う。どうやらお母さんも起きたばかりのようだ。

昨晩自分で用意したお弁当のおかずを冷蔵庫から取り出して、炊き立てのごはんとともにお弁当箱に詰める。早起きするのはあたしの都合なので、お弁当は自分でつくることにしている。なので朝食も、自分でトースターにパンを入れてタイマーをセットする。

まあ、あいつが自分でお弁当を準備していると聞いたから、あたしも負けじと自分のことを自分でしようと思った、というのもある。

すぐに洗面所で顔を洗い、髪の毛をセットする。といってもショートカットなので、寝癖のチェックをしてクシでとかすだけだ。

「よし！」

鏡に映った自分を見てリビングに戻り、口に押しこむようにして朝食を食べた。

「じゃ、行ってきます！」

カバンをつかんで家を飛び出し、地面をける。腕と足を必死に動かす。

家を出たのは六時半だ。これなら、今日こそは勝てるはず！

そう思って息を切らせて走っていると、少し前に友だちの姿を見つけた。

「おはよ！　今から朝練行くの？」

「え？　葵？　うん、吹奏楽の朝練だけど……葵はなんでこんなに早いの」

声をかけると、振り返った友だちが目を丸くしてあたしに聞く。彼女の横を速度を保ったまま通り過ぎながら、

「大地より先に行くの！」

と叫び手を振った。背後で友だちが「相変わらずだねえ」と笑ったのがわかった。今日こそは勝つんだ。朝に勝負をするようになって三週間ほどになるけれど、ほぼほぼ負けているうえに、ここ最近は負け続きなので、今日は勝たなければ。

――けれど。

「よ、オレの勝ちだな！」

目的地には、すでに大地が涼しい顔をして立っていた。あたしとちがって呼吸の乱れもない。かなり前にこの場所に着いていたようだ。

「な、なんでえ……悔しい！　今日はぜったいいけると思ったのに！」

いったい大地は何時から待っていたのだろう。鼻はもちろん頬まで赤く染まっている。

「残念でしたー。これでオレの七連勝だな。つまり、やっぱりオレの勝ちってことだ」

ふふんと胸を張って大地があたしの手を取った。その手は、氷のように冷たかった。

「彼女を待つ楽しい時間は、ぜったいにゆずらねえ」

そんな返しをされるとは思っておらず、胸がきゅんとしてしまい、その直後に悔しくなる。ああもう、なんで振りまわされちゃうんだろう！　悔しい！

大地はいつだってあたしの先まわりをする。三週間前の告白だって、本当はあたしから言おうと思ったのに、大地に先を越されてしまった。おどろきのあまり、あたふたすることしかできなかったことを思い出し、悔しさとはずかしさがよみがえる。

顔を真っ赤にしながら頬を膨らますと、大地が笑う。

勝ち誇った、けれどとても優しくてあたたかな笑顔をあたしに向ける。あたしがその顔に弱いことを、大地はきっと知っているのだろう。

「つまり、オレのほうが葵を好きってことがわかっただろ」

心臓が早鐘を打っているのは大地のせいじゃない！　走ったせいだ！

「あたしのほうが好きだし！」

まだまだ、あたしたちの勝負は終わらない。

♥ episode - 15

# 綾瀬くんの好きな人

放課後、二階の渡り廊下の真下。

校舎側からも校庭側からもゆるい死角になっているため、一部の生徒たちからは告白するのにうってつけの場所、と言われている。

(ここに呼び出されるの、今月に入って何度目だろ)

綾瀬亘は長いため息をついた。

中学一年の冬休み、亘の背がぐんと伸びた。それに加え、中学に入ってはじめたバスケ部の練習がきついせいか、体つきが引きしまって、全体的にほっそりしてきた。

女の子みたい、と長年からかわれてきた丸顔は、あごにかけてのラインがシャープになり、中性的な魅力をかもし出すようになった。

そして、二年生になった亘は、しょっちゅう渡り廊下の真下に呼び出されるようになったのである。

「もーとむ、聞いたよ」

幼稚園、小学校と同じで、家も近い恵麻がニヤつきながらやってくる。

「綾瀬くんに好きな人がいるらしいって、朝からもちきりだよ」

昨日告白された子に、好きな人がいると言って断ったことが、すでに学年中に広まっているらしい。口の軽い子だったんだな、と亘は苦々しく思う。

「ね、ほんとにいるの？　好きな子」

声を潜めて近づいてきた恵麻から、ふわっと甘い香りがただよう。亘は顔をそらして、ぶっきらぼうに返した。

「いるわけないだろ。めんどくさいからそう言っただけ」

「うわっ、うそなんだ。人の告白をめんどくさいとか、最悪」

「いいだろ、別に。だいいち、話したこともないのに好きとか、意味わからん」

「お子さまだねぇ、亘は。ためしにつき合ってみたら、すごくいい子かもしれないのに。ちょっと外見が成長したところで、中身はまったく変わってないんだから」

えらそうに言い残し、恵麻は自分の教室へと戻っていった。

そっちこそどうなんだよ、と亘は思う。

恵麻は小学生のころからモテていた。そして今も。二階の渡り廊下の真下へ呼び出された回数は、亘より多いにちがいない。

亘は何度か、知らない男子と家の近所を歩く恵麻の姿を見かけたことがある。

そんな時は決まって、亘が知る恵麻とは別人のような気がするのだった。


放課後、二階の渡り廊下の真下。

好きな人がいるといううわさが広まってから、告白される機会はだいぶ減ったが、亘が一向にだれともつき合わないせいか、またぽつぽつと呼び出されるようになった。

「オレ、好きな人がいるんで」

定型文と化したこの言葉を口にし、早々に立ち去ろうと決めていた亘だったが、告白してきた佐伯真帆があまりに美しかったため、思わず見とれてしまった。

真帆は今年の春、隣の一組に転校してきたという。そういえば美少女が転校してきたって、みんなが騒いでいた。一組といえば恵麻のクラスだ。

「好きな人がいるって聞いたんだけど、あきらめきれなくて」

亘はこの子のことを何も知らない。これまでただの一度も話したことはない。見た目はたしかにかわいかった。心惹かれるものがあるにはある。

だけど、それだけで人を好きになれるとは、亘にはやはり思えなかった。

「ありがとう。でも、オレも好きな人のこと、あきらめきれないから」

結局、亘は真帆の告白も断ったのだった。

真帆が一組の教室へ戻ると、数人の女子生徒がまだ残っていた。

「あっ、佐伯さんだ。さっき、渡り廊下の下に綾瀬くんといたでしょ。もしかして、告白したの？　それともされたの？」

遠慮のない女子がいきなり真帆に突っこみはじめる。

告白にうってつけの場所は、死角とはいえやはり学校の一角だから、他の生徒に見られることもないわけではない。

急な質問に面食らいつつ、真帆はとっさにうそをついた。

「ああ、うん。されたの。ナイショね」

「わあ！　そっか、綾瀬くんの好きな人って佐伯さんだったんだ。で、つき合うの？」

「断ったの。綾瀬くん、たしかに見た目はまあまあいいけど、中身は空っぽそうだし」

その瞬間、椅子をガタガタッといわせて勢いよく立ち上がった人物がいた。

「そんなことない！　私、小さいころから亘をよく知ってるけど、空っぽなんかじゃない。亘のいいところ、いっぱいあるよ」

――恵麻だった。いつもは冷静な恵麻が、ひと息でまくし立てたのだ。

「へえ、たとえば？」と、テンション低めに真帆が尋ねる。

「おじいちゃんに習字を習っていたから字がきれいだし、姿勢がよくて長時間正座できるし、年下の子にはぜったいいじわる言わないし、動物にも優しいし……それから……」

言いながら、はずかしさがこみ上げてきて、恵麻は次第にしどろもどろになった。

「ごめん、思わず……。私、関係ないのに」

教室はしんとしていた。真帆は恵麻のことは一切見ずに、きれいに整えた自分の爪ばかりを見ている。たまらなくなった恵麻は、カバンをつかむと教室の外に走り出た。

――そこに亘がいた。

告白を断ったあと、真帆の姿が見えなくなってから、亘は自分の教室へと戻った。

そして、カバンを手に廊下へ出たところで、隣のクラスから聞こえてきた真帆の声。

いつの間にか亘が告白したことになっている。

(なんなんだよ、あの子。うわ、恵麻までいるじゃないか！　否定するべき？)

その時、恵麻が懸命に自分のことをフォローしはじめたのだ。胸を打たれて、思わず立ち止まっていたら、恵麻が廊下に飛び出してきた。目には涙を浮かべている。

「なんで泣いてんの？」

「えっ、亘!? だって、亘のことを悪く言われるの、なんか悔しくて……」

めずらしくしおらしい恵麻の言動が、亘の心臓をわしづかみにした。

（ずるいぞ、恵麻。自分だっていつも大人ぶって、オレをバカにしてくるくせに）

それからふたりは無言で昇降口に向かい、なんとなく一緒に帰っている感じになった。

「でも、知らなかったな。私にはうそだって言ってたのに」

「何が？」

「亘の好きな人」

恵麻の目のふちが、さっきの涙の余韻でまだほんのり赤い。

「好きな人、本当にいたんだ。しかも、佐伯さんだったとは」

「いや、ちがう。たしかに一瞬かわいいとは思ったけど、告白してきたのは向こうだよ。

断ったら、オレがしたことにされてた」

「そうだったの。でも、かわいいとは思ったんだ……」

「恵麻には到底およばないけど」

思わず本音が口をついて出てしまった。みるみるうちに耳まで真っ赤になる亘。

そんな亘を見て、恵麻はニヤリと笑った。

「そうでしょう。そうでしょう」

うんうん、と大げさにうなずく姿は、すっかりいつもの恵麻に戻っている。

「私の涙は高くつくよ。そこのコンビニで何かおごってもらおうか」

「別にいいけど……。もっとちゃんとお礼したいな。恵麻にあんなふうに言ってもらえて、正直うれしかったたし」

「え？」と、少し先を行く恵麻が振り返った。

「明日の放課後、渡り廊下の真下に来て。その時、お礼に好きな人を教えるよ」

「ええっ？」

放課後、二階の渡り廊下の真下。亘は初めて告白することを決意した。

♥episode - 16

# 君の好きなもの

「中野先輩、そこの途中式まちがえてますよ。さっきも指摘しました。何回言ったらわかるんですか」

学園祭が一週間後に控えているこの大事な時期に、僕は空き教室を使って先輩に勉強を教えていた。机を挟んで目の前に座っているのは、生徒会長をやっている三年生の中野羽衣先輩で。去年から僕は会長の下で生徒会の業務を行っている。

「いやー難しいね、数学って。佐倉くんがいなきゃ、今ごろ就職を考えはじめてたかも」

「就職を考えるのはお好きにしてくださってかまいませんけど、だいたいなんでこんな受験の大変な時期まで生徒会長やってるんですか。それと、いい加減二年の僕に勉強を教わらないでください」

「だって生徒会長やってくれる人がいなかったから。佐倉くんも、今は副会長だし」

「それはそうですけど……それじゃあ日ごろから勉強真面目にやってくださいよ」

「いやあ、生徒会の仕事で忙しかったから」

などと、先輩はいつも言い訳を口にしている。

頑張っているのは認めるけど、それで学業がおろそかになってしまうのは考え物だ。

今だって生徒会の仕事の合間を縫ってこうして受験勉強をしているんだから。

もし生徒会に入っていなければ、もっと勉強に時間をまわせていたのに。

「そういえば先輩、北峰大学めざしてるんでしたっけ」

「そうだけど、どうしたの？」

「今の学力だと奇跡が起きなきゃ無理だなって、改めて考えていたところなんです」

「そこをどうにかしてくれるのが、佐倉くんの今の大事なお仕事だから！」

「はあ……。ところで、どうして北峰に入りたいんですか？　言い方悪いですけど、もっと身の丈に合った大学を選べばいいじゃないですか」

「親友が北峰に行くんだよ。だから、私もそこに行きたくて」

言いながら、中野先輩は再び数式を解きはじめた。今度はちゃんと因数分解を正しくできているみたいで、先生のかわりに赤ペンで丸をつけた。

「親友って、いつも一緒にいる鈴代先輩ですか？」

「そうだよー。小学生のころからの親友なの」

「先輩みたいな外面だけまともに振るまってる人からは、想像もできないくらい真面目な人ですよね。インターハイの予選も、かなりいいところまで勝ち進んでましたし」

「あのね、私も二年ほど前は玲菜みたいにおしとやかな女の子だったんだよ。佐倉くんと出会う前に意識改革をはじめたから、想像もできないと思うけど」

自信満々に主張しながら解きはじめた問題は、もちろんまちがっていて。この人の言っていることは、八割方当てにならないんだよなと、思わずため息が出た。

学園祭の前日。放課後にグラウンドへ模擬店に使うテントの骨組みが運びこまれ、クラスの代表が四苦八苦しながら組み立てを行っていた。生徒会は生徒会で本部テントの設営があって忙しいんだけど、なぜか生徒からの人望が厚い中野先輩は、そこかしこのクラスから応援を頼まれていて。先輩も「羽衣ちゃん手伝ってー！」と言われれば、断ったりしないものだから「ちょっと待っててね！」と安請け合いを続けていた。

だから本部テントを建て終え、備品のチェックを行う時に一応心配の言葉をかけた。

「先輩、働きすぎですよ。設営なんて事前に先輩がつくったしおりに書いてあるんですから。わざわざつくった意味ないじゃないですか」

　すると先輩はひとつも嫌な顔をせずに。

「みんな頑張ってるから、ちょっとでも楽させてあげたいじゃん。それに、みんなが学園祭を楽しんでくれると、私もうれしいし」

「なんですか、その菩薩みたいな考え」

　いつも先輩の仕事を間近で見ている身としては、そのうち僕の知らないところで倒れるんじゃないかと気が気じゃなかった。そんな自分にできるのは、精々日ごろの勉強を手伝ってあげることくらいで。

勉強をしている時は先輩に呆れてしまうけど、こういう時は自分がふがいないと思ってしまう。

「それにさ、私にとっては最後の学園祭だから。みんな笑顔で成功させたいんだよ」

急に真面目な顔でまともなことを話すものだから。僕は作業の手を止めて、しばらくの間先輩のことを見つめてしまっていた。


学園祭の準備がすべて終わったころには、もう日は落ちていて。帰り支度をはじめる生徒会役員たちの横で、中野先輩はワークとノートを広げていた。

「さすがに今日は帰りましょうよ」

「ううん。一分一秒もムダにできないから」

めずらしくかっこいいことを言うなと感心したけど、自主的に僕も残って勉強を手伝うと、先輩は三十分もたたないうちに寝はじめた。起こしてしまうのはかわいそうだから、せめて下校時刻まで寝かせてあげよう。そう思って、生徒会室にあるブランケットをかけてあげると、眠りにつきながら涙を流しているのを見てしまった。

僕はそれを、見ないフリをしてやり過ごしたけど。下校時刻の三十分前に勝手に起きた先輩は、自身の目元から流れている涙に気づいて、あわててそれをぬぐっていた。

「うわあ、はずかしいところ見せちゃった……」

「別に、だれかに言いふらしたりなんてしませんよ」

「そうしてー。これは佐倉くんと私だけの秘密ね！」

ごまかすように勉強道具をまとめはじめた先輩の、どこか浮かない姿が気にかかって。本当は聞くべきじゃないんだろうけど「どうして泣いてたんですか？」と、聞いてしまった。すると先輩は手を止めて、だれでもいいから聞いてほしかったのか、ぽつぽつとその理由を話してくれた。

「……実は、一年生のころに失恋したの。その時のことを夢の中で思い出しちゃって」

「あー、そうだったんですか……」

先輩は人気者だから、つくろうと思えば彼氏のひとりやふたりはできそうなものなのに。なんで恋人をつくらないんだろうとは、ずっと前から疑問に思っていた。

「先輩が好きになる人だから、きっとイケメンだったんでしょうね」

「うん。高身長で、優しくて、今は親友の彼氏なんだよ」

「……え？」

「私は知らなかったんだけど、出会う前から先輩は玲菜のことが好きだったみたいで」

その事実を知ったとたん、急に胸が締めつけられるように苦しくなって。先輩は、いつもどんな気持ちで親友さんと話をしているんだろうって、想像してしまった。

「実はね、今度の学園祭にその先輩が来るの。その時に、伝えたいことがあるんだよ」

「……なんですか？」

尋ねると、先輩は窓の向こうへと視線を向けて。その先には、さっきまでみんなで建てていた模擬店のテントが見えた。

「――好きですって」

哀愁のただよう表情で、先輩はとても真っすぐな言葉を口にした。そんなけなげな姿を見て、僕も今さらだけど自分の気持ちに気づいてしまった。

「――私は、この学校が好きなんだよ。今度は嘘じゃないですって、伝えたいの」

「……学校？」

「うん。初めは嘘をついて、生徒会に入っちゃったから」

思わず拍子抜けしていると、先輩は得意気な顔で笑った。

「ちゃんと伝えられたら、今度こそ前を向けそうだから！」

そんな真っすぐな姿に、僕も生徒会に入ろうと決めた日のことを回想して。そういえば、初めは中野先輩に対するあこがれだったんだって、今さら思い出した。

「……僕は、そんな先輩のことが、案外嫌いじゃないですし。むしろ、好きですよ」

つい本音を口にすると、先輩は急に顔を赤くさせて。

そんな姿を見て、僕は初めて本当の意味で会長のことがかわいいと思ってしまった。

♥episode - 17

# 残念なほうの佐藤さん

「佐藤さん、前髪切ったんだ！」

朝、教室に入ると、クラスの女子がこちらに駆けてきた。前髪を指ですきながら少しはにかむと、その女子は私を通り過ぎる。そして、後ろにいた佐藤明菜さんに「おはよう。似合ってるね、かわいいー」と称賛を送った。

「おはよう。ちょっと切りすぎちゃったから、そう言ってくれてうれしい。ありがとう」

背中でそんな会話を聞きながら、私は前髪に触れていた手を下ろし、そそくさと自分の席へと向かう。はずかしい。たまたま前髪を切ってきた日が同じだったから、自分かと思ってしまった。そう、私も『佐藤さん』なのだ。

この高校の二年三組には佐藤がふたりいる。ひとりは、ちょっとした変化もみんなに気づいてもらえるくらい美人で愛嬌のある佐藤明菜さん。そして、顔も性格も極々平凡な私、佐藤美津子だ。

「おはよう、ミツ。あ、またゴミ拾ったの？」

「おはよ、トモっち。うん、今日はお菓子の袋が落ちてた。捨ててくる」

「ホント、美化委員の鑑ね」と、友人のトモっちが感心したようにうなずく。

二年連続で美化委員になったため、毎朝ビニール袋を持ってゴミを拾いながら登校するのが日課になった。昨年、美化委員会で、ゴミ拾い運動をしましょうと話が上がったのだ。みんなやっていたのは最初だけで、今でも続けているのは私だけだけれど。

ゴミを捨てたついでにトイレへ向かうと、廊下の角を曲がる直前で、男子数人の話し声が聞こえてきた。『佐藤』という言葉が耳に入り、私は思わず足を止めてしまう。

「三組の佐藤さん、いいよな」

「あぁー……でも、三組には佐藤ってふたりいない？」

「佐藤明菜のほうに決まってるだろ。残念なほうじゃなくて」

死角だから、ここにいる私に気づいていないらしい。通り過ぎたところで、私の顔なんて認識していないかもしれないけれど。

それにしても『決まってる』だの『残念なほう』だの、言いたい放題だ。でも、その通りだからしかたない。それに、こんな話を耳にしてしまうのも、今回が初めてではないのだ。傷つかないと言うと嘘になるけれど、もう慣れっこになってきている。

「そういえば、佐藤明菜って、一年の時からつき合ってた彼氏と別れたらしいぞ」

「え！　マジ？　俺、ワンチャンあるかな？」

「おまえはねーわ」

笑い声が遠のくと、私は小走りでトイレへと向かった。

『佐藤さんへ。好きです。つき合ってください。一組　町原』

そんな手紙が靴箱の中に入っていたのは、数日後の朝だった。便箋の短い文面に目を通すとすぐに閉じ、封筒に入れ直す。

まただ……ラブレター。

また、というのは、自分がラブレターをもらったことが、ではなく、入れまちがいが、である。高二になって明菜さんと同じクラスになってすぐに『佐藤明菜さんのことが、前から好きでした』と書かれたラブレターが靴箱に入っていたことがあったのだ。

なんでそんなことが起こるかというと、佐藤がふたり続きで、靴箱が上下だからだ。一応名前シールに『佐藤（あ）』『佐藤（み）』と書かれているけれど、ペンの色が擦れてきていてわかりづらい。本人は場所がわかっているからいいけれど、他の人がパッと見て、しかも佐藤がふたりいると知らなければ、まちがえてもおかしくないだろう。

それにしても……。はぁ、とため息をつく。思いのほかショックが大きい。なぜなら、差し出し人が一組の町原くんだからだ。

町原くんは、一年の時に同じクラスで、グループ学習で同じ班になったことがあった。その時に率先してリーダーをしてくれて頼りになったし、まわりのこともよく見えていて気遣いができる人だと知り、いいなと思いはじめたのだ。以来、二年になってクラスが離れても、彼が廊下を通ると、気づけば目で追いかけるようになっていた。

そんな町原くんが明菜さんのことを好きなのだと思いがけず知ってしまい、勝手に失恋してしまったような複雑な気持ちだ。きっと、明菜さんは現在彼氏がいないという噂を耳にして、告白に踏み切ったのだろう。

「えっと……町原くんの靴箱は……あ、ここだ」

前回まちがえて入っていた時には、明菜さんの靴箱へ正しく入れ直した。けれど、今回は町原くんの靴箱へ戻すことにした。

明菜さんの手にこのラブレターが渡ったら、もしかしたら交際がはじまるかもしれない。そう思うと、一日でも先延ばしにしたい気持ちになったからだ。

町原くんの靴箱にラブレターを返した私は、昇降口に登校してくる人の気配を感じて、逃げるように教室へ向かった。

けれど、翌日も同じことが起こった。昨日の朝と同じ封筒が私の靴箱に入っていて、中身もそのままだったのだ。

どうしよう……またまちがえてる。ちゃんと確認して入れてよ、町原くん。

自分が明菜さんの靴箱に入れなかったからだけれど、失恋のショックを二日連続でくらってしまった。これはもう、明菜さん本人の靴箱に入れるしかないのだろうか。

明菜さんの靴箱と、手に持った封筒を何度か視線で往復する。けれど、やっぱり私は明菜さんの靴箱に入れられず、町原くんの靴箱へ戻したのだった。

翌日の朝、少し早めに登校した私は、昇降口に入ってギョッとした。靴箱のところに、町原くん本人がいたからだ。もしかしたら、今度こそ明菜さん本人の靴箱に入れるところかもしれない。

見られたくないだろうし、私も見たくない。だから隠れようとしたけれど、もう遅かった。目が合ってしまい、私は石化してしまったかのように微動だにできなくなる。

「おはよう」と、久しぶりにかけられた町原くんの声は、ほんの少し硬く感じた。

「お……おはよう」

あいさつを返すと、手に持っていたビニール袋が揺れてカランと音を立てた。今日は登校中に空き缶を拾ったのだ。それを見た町原くんは、また私の目に視線を戻す。

どうしよう、私の靴箱の前だから、上履きに履き替えられない。それに……。

町原くんは、私の靴箱に手をかけていた。そして、反対の手に封筒を持っているのが目に入る。昨日もおとといもまちがって入っていた、あの封筒だ。

「あの……町原くん。そこ、まちがってるよ」

「え？」

「そこ、私の靴箱なの。佐藤明菜さんはひとつ上なんだ」

おずおずと言うと、町原くんはわずかに眉を寄せた。嫌な気持ちになるのは当たり前だろう。まちがえて入れて、しかも明菜さんへの恋心が私なんかにバレて、一度ならず二度もラブレターを戻されたのだから。気づいていたなら、本人の靴箱に入れてくれてもよかったじゃないか。町原くんの目がそう言っている気がして、私は目をそらした。

靴音が響き、登校してきた生徒が昇降口に入ってくるのがわかる。すると、不意に町原くんは私の制服をくいっと握り「ちょっと、こっち来て」と引っ張った。

あわてて上履きに履き替え、階段裏の人があまり通らない場所へと向かう。町原くんとふたりきりだからか、怒られるんじゃないかと怖いからか、心臓が早鐘を打っている。

「まちがえてないんだけど」

けれど、振り返りざまに言われた町原くんの言葉は、予想とは全然ちがうものだった。

「ちゃんと、だれの靴箱か確認して入れた」

私の目の前に押しつけるように差し出されたラブレターは、町原くんが握っていたからか、少しくしゃっとなっている。私はわけがわからなくて、まばたきをした。

え？　まちがえていない？　……てことは、最初から私の靴箱に、私宛てに、手紙を入れたって……こと？

「えっ！　だって、私、そんな、いいって思ってもらえるようなとこ、ひとつもないし」

顔に熱が集まるのを感じながら、でもどうしても信じられずに首を横に振ると、町原くんはまた、私が手に持つゴミ袋を見た。

「……そういうとこ」

ぼそりとそう言って頭をかいた町原くんは、

「あー……もう、はずいから手紙にしたのに、意味ないし。とにかく、だから、その、そういうことだから。とりあえず受け取ってよ」

とラブレターを無理やり私の手の中に入れた。そして「じゃ」と踵を返そうとする。

「あっ、待って。町原くん」

勘違いしていたことを謝らなきゃ。そう思った私はあわてて呼び止め「ごめんなさい！」と叫んだ。

足を止めた町原くんが、ゆっくり振り返る。その顔は、苦虫をかみつぶしたようだ。

「……え、今、フッた？」

「いやっ、ううん！　じゃなくて、えっと、あの、よろしくお願いします！」

一瞬空気が固まり、沈黙が流れた。そして、町原くんが思いきり吹き出す。

「どっち？」

♥episode - 18

# きみのカエデ

今日で、あなたと会えるのはきっと、最後になるでしょう。

あなたと出会ったのは、雲ひとつない青空の広がる春の日のことでした。

校門には満開の桜の木々が立ち並んでいて、たくさんの人がそこに集まり笑顔で写真を撮っていました。私は校内の中庭と言われる場所の隅っこから、その様子をこそっと見つめていたのです。私のまわりにはだれもいませんでした。

そこに、なぜかあなたはやってきました。華やかな場所から、ありふれた中庭に足を踏みこんだあなたは、ぐるりとそれを見まわして、

「きれいだな」

と、私に笑顔で話しかけてきました。

「この景色になじんでるのに、でも、あんただけ白くて特別って感じ」

そんなふうに言う人は初めてでした。そんなことないですよ、と返事をすると、あなたは子どものようなあどけない笑みで「きれいだ」ともう一度、私に言い聞かせるように言いました。

あの日、私はあなたに恋をしたのです。ほめられただけで単純だ、といつもそばにいる友人は私を笑いました。好きになったって無理に決まっている、と呆れた友人もいました。そんなことはわかっていましたが、それでも、好きになってしまったのです。

これから三年間、あなたと同じ場所に存在することができる。それだけで幸せだと感じました。もう二度と、私に話しかけてこなかったとしても。私のことを忘れたとしても。それでもよかったのです。

けれどあなたは、ことあるごとに私に会いにきて話しかけてくれました。いつも、人気のない中庭の片隅で、あなたは私に笑顔を見せてくれました。

どうして私なんかに会いにきてくれるのかと不思議に思いながら一年を過ごしまし

た。そんな私の疑問にあなたは気づいてくれたのか、夏のある日、こっそりと理由を教えてくれました。

友だちは好きだし一緒にいるのは楽しいけれど、こうして静かな場所で過ごすのも好きなんだ、と。そう言って、春よりも身長が伸びたあなたは、立ち上がって私に手を伸ばしてきました。

優しいあなたの手が、私は大好きでした。あなたに触れられるたびに、まるで自分がとても繊細な存在になったかのようで、体が震えていました。

あなたはきっと、知らないでしょう。

「あんたは、夏は夏で、きれいだよな」

私よりもあなたのほうがきれいでした。比べるのもおこがましいほどに。

鮮やかな緑色に染まる視界の中で、あなたは夏の日差しを浴びてかがやいていました。

額に浮かぶ汗さえも、あなたには似合っていました。緑に包まれるあなたがまぶしくて目をそらすと、葉っぱが揺れてサワサワと音が鳴ったのを覚えています。

見ているだけでよかったのに、あなたは私を見てくれていました。
だから、ほんのちょっぴり、欲ができてしまったのです。
あなたと出会って二年目の、世界が赤く染まる秋のことでした。
「ほんとだ、すてき」
あなたが連れてきた女の子は、私を見てそう言いました。
「これからは俺の彼女も、ここに来ていいだろ？　よろしくな」
あなたは私に触れながら、女の子に優しい目を向けました。
女の子は、とてもかわいらしい子でした。私なんかにも優しくて、声にあたたかさの
ある日だまりのような子でした。あなたの彼女にぴったりだと思いました。
そう思って少し、私の体のどこかがカサついたのを感じました。
見つめ合うふたりの頬が赤くなっているのは、恋のせいだとわかっていたのに、私は
秋のせいだと自分の気持ちをごまかしました。秋紅葉が、ふたりを染めているのだと、
そう思うことで私は私のさびしさを隠したのです。

でも、決して私はあの時、さびしさだけを感じたのではありません。それを言うと友人たちには強がっているとか、見栄を張っているとか言われたのですが、でもちがうのです。

あなたは、彼女を私に紹介してくれた。

それって、すごいことじゃないですか。私なんかにわざわざ、つき合っている人を見せにきてくれて、これからも一緒に過ごそうと言ってくれたのです。

そのくらい、あなたの生活に私が含まれている、ということですよね。そして、彼女ができてもあなたは私に話しかけてきてくれるということです。

もとより私は、自分があなたと結ばれることを夢見ていたわけではありません。そんな無謀な夢は想像したことすらないのです。

私は、あなたが幸せであればいいのです。

あなたはいつの間にかぐんぐんと背が伸びて、子どもらしさが残っていた顔つきも、いつの間にか大人の男性に変わっていきました。

私は、そんなあなたの変化を見続けたかったのです。できれば、変わっていくあなたが、変わらず私に話しかけてくれることを、それだけを、望んでいたのです。

一枚、また一枚と葉っぱが落ちる。

それはまるで、私の淡い恋心の消失を表しているようでした。心身ともに寒々しく感じますが、でも、それも一時的なことです。そんな私でも、ふたりは愛おしそうに見つめてくれたのですから、私はなんて幸せ者なのでしょうか。

本当に、本当に、お似合いのふたりだったのです。

ケンカをして涙を浮かべたり険しい顔をしている時もありましたが、ふたりはほとんどの時間を笑顔で過ごしていました。

「この場所は、この空間は、すごく、落ち着くから好き」

「うん、俺も」

私と一緒にいるこの時を、そんなふうに言ってくれるふたりの幸せを願わずにいられるでしょうか。

だから、私も悲しかったのです。

体が真っぷたつに引き裂かれそうなほど、苦しかったのです。

——まさか、たった一年であの女の子と会えなくなる日が来るなんてだれが想像したでしょうか。

風のうわさで聞いたところによると、彼女は事故にあったようでした。そしてそのまま、この世からいなくなってしまったと。それを知った私は、ただただ、呆然とすることしかできませんでした。

あなたは今どうしているのか。あなたは何を思っているのか。

そればかりを考えながらあなたが会いにきてくれるのを待っていました。待つことしかできない自分にもどかしさを感じたのは、あの時が初めてです。

数日か数週間かたってやってきたあなたは、少しやつれていました。まぶたが腫れていて表情はとても暗かったです。コートとマフラーを身につけていたにもかかわらず、寒さに凍えて倒れてしまうのではないかと思うくらい、ふらふらとしていました。

地面には、一時期は真っ赤に染まって美しかったはずの紅葉が、泥だらけになって広がっていました。それは、昨年の私の淡い恋心ではなく、ささやかながら願ったふたりへの祝福の残骸のように見えました。

こんなものになるために、私は昨年思いを散らしたわけではないのに。そして、再び芽生え育てたふたりへの想いすらも、粉々になってしまったようで、悲しくてしかたありませんでした。

「……慰めてよ」

あなたはそう言って、私を見つめてから一滴の涙をこぼしました。声を押し殺して、私を抱きしめながら何度も、何度も、「なんで」をくり返していました。

そんなあなたに私は何もできませんでした。抱きしめ返すことも、涙をぬぐうことも。ただ突っ立っていることしか、私にはできなかったのです。

葉のない枝だけの木々が並んでいて、ひゅうひゅうと風が吹きつけていました。今が春や夏なら生い茂る緑の葉が彼を冷たい風から守れたかもしれないのに。秋なら落ちゆく紅葉が彼を包みこめたかもしれないのに。

その日を最後に、あなたは私に会いにこなくなりました。

きっと、私のそばでは彼女のことを思い出してしまうからでしょう。私も同じ気持ちでした。でも、それでも、私はあなたに会いたかった。何もできないけれど、悲しむのなら私のそばで、涙を流してほしかったのです。

あなたのいない冬は、あなたと出会ってから最も寒い冬でした。

けれど、時間というものは一方通行で、のんびりと、確実に、春に移り変わっていきました。校門のあたりにある桜の木々がまた、ピンク色に染まりはじめました。

私はもう、あなたには会えないのだと思っていました。

けれどあなたは、人混みからひとり抜け出し、三年前の初めて出会った日のように私のそばに来てくれました。手に黒い筒を持って、三年前よりもはるかに高くなった身長で、私を見上げました。

「今日でお別れだな」

そう言ったあなたは、何かを乗り越え、けれど大切な何かは胸にしっかりと抱きしめたままの、優しい大人の表情をしていました。

子どもから、友人に、そして彼氏になり、ひとりになって、また新たな姿を私に見せてくれたのです。

「ありがとな。忘れないよ」

ええ、私も決して忘れません。

三年間で、時に悲しく、けれど美しく成長したあなたの姿を忘れません。

学校の中庭の隅にそっと立っている、ありふれたカエデの木を見てくれていたあなたのことを。

一本のカエデの木に、恋心を芽生えさせてくれたことを。

この三年間、私は、あなただけのカエデでした。

その大切な思い出を栄養に、私はこれからもあなたのいたこの学校の片隅で、まただれかの三年間を見守り続けるつもりです。

♥ episode - 19

# おそろい

「これ？　あら、けっこう高いわねぇ」

値札を見て、紗希の母は顔をしかめた。

「しかも、こんなに真っ黒でスポーツウェアみたいなの、どうなの？　かっこいいけど、すぐに飽きちゃわない？　あっちの店にもっとかわいいのあったじゃない」

「これがいい。サイズも豊富で、わたしでもダボッと着られるし」

ハンガーにかかったままのウェアを自分の体に当てながら紗希が言うと、レストラン街の行列に並んでいた父から『席、空いたぞー！』というメッセージが届いた。

「やった。早く、行こ」と、妹の季里が母の腕を取って足早に店を出る。紗希はあわててハンガーを戻し、ふたりのあとを追った。

昼食を終え、紗希は再びさっきの店を訪れた。今度はひとりだ。

「今年の冬は寒いし、もうすぐ受験なんだから、高くてもしっかりあたたかいのを買ったら。紗希が気に入っているなら、それでいいじゃない」

父がそんなふうに肩をもってくれたおかげで、紗希は十分な資金を得ることができた。

さっそく、さっきのウェアがあったラックへ近寄る。そこには先客がいた。

「あれ、石崎？　石崎勇人だ」

「え、高野紗希？　――って、なんでこんなところでフルネーム呼びだよ」

「そっちもね。何してんの？　あっ、待って！　もしかして、それ買うの？」

勇人が手にしていたのは、紗希がさっき選んだアウターだった。

「そう。これ、かっこいいだろ。しかも、アウトドアブランドだから雨にも強いし。前から気になってたから、お年玉持って買いにきたんだ」

「えーっ、そんなに思い入れあるんなら、ゆずるよ。他の探す」

立ち去ろうとする紗希の腕を、勇人があわててつかむ。

「ちょっと待って。ゆずるって、何？　もしかして、高野もこれ欲しかったの？」

「そう。さっき見て気に入ったから、買おうと思ってきたところ」

「なんだ、そうだったんだ。だったら買おうよ。サイズも色も、まだありそうだし」

「いいの？　でも、わたしも黒のMが欲しいもん。そしたらおそろいになっちゃう」

「え、いいよ。おそろいの何がだめなの？」

「だめって言うか……」

男女がまったく同じアウターなんか着て学校へ行ったら、うわさになりかねない。それでなくても紗希は「石崎とつき合ってるの？」と何度か聞かれたことがある。そういうの、石崎にとってはどうでもいいんだろうか。

「うわさになるかもよ」

紗希は思いきって言ってみた。どういう反応が返ってくるか、ちょっと怖い。

「はは、そんなやつらにはなんとでも言わせとけよ。それよりさ、これ着て受験会場に行ったらリラックスできそうじゃない？　高野も同じの着てるって思うと笑えてくるし」

「あはは。それ、いいかもね」

結局、紗希は勇人とまったく同じ色、同じサイズのアウターを買ったのだった。

「ひとりで来たの？　ここ」

「うん。塾からわりと近いから。高野は？　よかったら、少し……」

石崎が何か言いかけたところに、他の店を見ていた母と季里がやってきた。

「家族と来てたんだな。じゃあ、また学校で！」

すたすたと歩く石崎の後ろ姿は、あっという間に見えなくなってしまった。

何を言いかけたんだろう。もう少し一緒にいたかったな。

石崎のことが好き。だけど、おたがい受験生の身だ。今は話せるだけでも十分だけど、いつかは……。石崎が歩いていったほうを、紗希はぼんやりと見つめていた。

三学期がはじまると、目ざとい数名によって「おそろい」が発覚したが、うわさになるほどではなかった。アウトドアブランドの黒いアウターだったために、たまたまかぶっ

ただけだと思われたのかもしれない。

「同じアウターを着て受験しようなんて、もうそれ告白だから」

ゆいいつ、紗希の想いを知る千晶が言った。

「そうかな」

「そうでしょ。それでなくても紗希と石崎って、両想い感、半端ない」

「うーん、そんなことないよ。実感したことない」

「本人にとってはそんなものなのかな。志望校もおそろいだったらよかったのにね」

そう、むしろそっちがおそろいのほうがよかった、と紗希はうなずく。

合格しても、春からは石崎とは別々の高校に通うことになる。

今、石崎といちばん仲がいい女子は、自分かもしれない。だけど高校が離れたら、こうして毎日会うことすらできなくなるのだ。そのうち数か月がたち、この前みたいにショッピングモールで偶然会えた時、石崎の隣に同じ高校の彼女がいたら？

想像しただけで、紗希は泣きそうになる。

「バレンタインに告白したら？」

机に突っ伏した紗希の頭上で、千晶がささやいた。

「告白？　受験生が二月に？」

ボリュームを最小にし、まさかと思って聞き返すと、千晶は真面目な顔をして言った。

「いいじゃない、告白ぐらいしたって。うれしいと思うよ、石崎」

紗希はため息をついた。受験はもちろん大事。だけど、当たり前のようにこの教室で石崎に会える日々は、もうあとわずかだという現実。

春からは紗希の教室に、石崎も千晶もいない。そんな現実から逃避するように、目前の受験のことばかり考えているような毎日だった。

「決めた。千晶、本命チョコ買うのつき合って」


バレンタインデー当日。放課後の教室に、石崎の姿はなかった。

どこに行ったんだろう。紗希は校舎の中をうろうろした。手に持っているのは、光沢のある厚手の紙袋。中の箱には八個の甘い粒が鎮座している。

しばらくうろついたのち、ようやく職員室前の廊下を歩いてくる石崎を見つけた。

探していたはずなのに、見つけたらやたらドキドキしてきて、今度は逃げ出したくなってくる。しかし、石崎の目にもすでに紗希の姿が映っていた。

「どうしたの？　職員室？」と、紗希から声をかける。

「うん。予想テストの数学、悪くってさ。ちょっとあせって質問しにいってきた」

石崎は力なく笑うと、四つ折りにしたテスト用紙を振って見せた。

「高野も、だれかに質問？」

「うん、まあ……」

「そっか。じゃあ、またな」

後ろに隠した紙袋を渡せないまま、紗希は石崎の背中を見送ったのだった。


そして、三月半ば。とうとう卒業式を迎えてしまった。

春の気配が感じられるものの、風はまだ冷たい。紗希は石崎とおそろいのアウターを着こんで家を出た。

試験は、自分にしてはできたほうだと紗希は思っている。合格発表は卒業式の二日後だから、結果はまだわからない。推薦合格が決まっている人以外は、みんな微妙な気持ちを抱えて今日を迎えていた。

そうは言っても、見慣れた顔が集まると、不安はどこかへ影を潜める。最後の教室は、やわらかくて和やかな空気に満たされていった。

明日、いや数時間後には、ここはもうわたしたちの場所ではなくなる。不思議な気分だ。みんなの声にまじって、石崎の笑い声が耳に届く。これももう、最後。

クラス全員で記念写真を撮ったが、紗希の場所から石崎は遠かった。この距離感だけが記録として残ったら、すぐ隣で笑ったことすら忘れてしまうんじゃないだろうか。

「本当にいいの？　このままで」

「ううん、よくない。千晶、わたし、行ってくる」

すでに教室に石崎の姿はなかった。校内を走りまわり、やっとのことで二階の廊下の窓から、校庭にいる石崎を見つけた。吹奏楽部の後輩たちに囲まれている。

アウターを羽織り、リュックを肩にかけると、紗希は急いで階段を駆け下りた。ところが、昇降口を出ようとしたタイミングで、バスケ部の後輩たちに捕まってしまう。

「紗希先輩、卒業おめでとうございます！」「一緒に写真撮ってください！」

夏に引退してから疎遠になっていた後輩たちだったが、紗希にとってはこの子たちとともに汗をかいたことも、中学校生活の大切な思い出だ。手紙をもらったり、写真を撮ったりしているうちに三十分ほどたっていた。

紗希が校庭へ出たころには、すでに石崎の姿はなかった。吹奏楽部のやつら、みんなでどこか行ったらしいぞ、とだれかが話しているのが聞こえた。

もう、帰っちゃったんだ。結局、何も言えていない……。

涙があふれそうになって、紗希はアウターのポケットに手を入れた。ハンカチを取り出そうとしたのだが、いくらポケットを探っても、入れたはずのハンカチがない。かわりに指先に触れたのは、折り畳まれたメモ用紙だった。

これ、もしかして、わたしのアウターじゃない？

メモ用紙を開いてみると、石崎の名前と携帯の番号が書かれていた。

なんだろう、このメモ？　ともかく、紗希はその番号へ急いで電話した。

「はい。石崎です」

「あ、高野だよ。石崎、わたしのアウター、まちがって着ていってない？　右ポケットにチェックのハンカチが入ってると思うんだけど」

「ああ、ほんとだ。入ってる。ごめん、まちがえたみたい。今、駅前にいるんだ。悪いけど、広場の噴水のところまで来てくれない？　あ、もちろん着てきて。寒いから」

電話を切ってから、紗希は不思議に思った。クラス全員分の上着は、出席番号順に廊下にかけてあった。自分のアウターの場所をまちがえるはずはない。

石崎がアウターをすり替えたの？　もしかして、わたしをこうして呼び出すため？

ドキドキしてきた。しかも今、石崎のアウターを着ていると思うと、一層胸が高鳴る。

もう会えないと思っていた石崎に会えるんだ。もうすぐ。

駅前広場の噴水付近に着くと、石崎が手を振りながら紗希のほうへ駆けてきた。

「走ってきたの？　寒かっただろ、ごめんな」

「ううん。あ、汗はかいてないから、これ」

アウターを脱ごうとする紗希を、石崎が「いいから、それ着てて」と制する。

「何？　着てててって」

「オレ、これからこっち着るから」

「なんで？」

「――学校が離れても、これ着てたら、来年の冬も高野がすぐそばにいるような気がするだろ。だから、高野はそっち着ててよ」

えっ？　それって……。

「このまま、どこか寄って帰ろうよ。高野とこうして歩いてみたかったんだ」

もしかして、石崎も同じ気持ち？　まだ聞けないまま、ふたりは並んで歩き出した。

● 執筆担当


**麻沢 奏**（あさざわ・かな）

鹿児島県出身。「イアム」名義でも活動中。著書に「放課後」シリーズ、『笑っていたい、君がいるこの世界で』『ウソツキチョコレート』（以上、スターツ出版）、『あの日の花火を君ともう一度』（双葉社）などがある。

**小鳥居 ほたる**（ことりい・ほたる）

石川県出身。2018年『記憶喪失の君と、君だけを忘れてしまった僕。』（スターツ出版）でデビュー。著書に『あなたは世界に愛されている』（実業之日本社）、『壊れそうな君の世界を守るために』（スターツ出版）などがある。

**櫻 いいよ**（さくら・いいよ）

奈良県出身、大阪府在住。2012年『君が落とした青空』（スターツ出版）でデビュー。著書に『イイズナくんは今日も、』『世界は「　」で満ちている』（以上、PHP研究所）、『交換ウソ日記』（スターツ出版）などがある。

**たかはし みか**

秋田県出身。著書に「浮遊館」シリーズ、「もちもちぱんだ　もちっとストーリーブック」シリーズ、「ピーナッツストーリーズ」シリーズ（以上、学研プラス）などがある。



| | |
|---|---|
| 装丁・本文デザイン | 根本綾子（Karon） |
| カバーイラスト | ふすい |
| 本文イラスト | かない |
| DTP | 山名真弓（Studio Porto） |
| 校正 | 株式会社夢の本棚社 |
| 編集制作 | 株式会社 KANADEL |

3分間ノンストップショートストーリー
ラストで君は「キュン！」とする　ひみつの放課後

2023年6月26日　第1版第1刷発行
2025年3月6日　第1版第2刷発行

| | |
|---|---|
| 編　者 | PHP研究所 |
| 発行者 | 永田貴之 |
| 発行所 | 株式会社PHP研究所 |
| | 東京本部　〒135-8137　江東区豊洲5-6-52 |
| | 児童書出版部　TEL 03-3520-9635（編集） |
| | 普及部　TEL 03-3520-9630（販売） |
| | 京都本部　〒601-8411　京都市南区西九条北ノ内町11 |
| | PHP INTERFACE https://www.php.co.jp/ |
| 印刷所・製本所 | TOPPANクロレ株式会社 |




ISBN978-4-569-88114-0




NDC913　191P　20cm